日本語を学ぶ中国の若者たち

詩の授業による心の交流の記録

横山芳春

ボーダーインク

はじめに

詩の授業に魅せられて

まど・みちおや茨木のり子の詩、松尾芭蕉の俳句、若山牧水の短歌などを教材にして、中国の若い人たちと授業をしました。ところは中国の重慶、四川外国語大学国際教育学院日本語センターと同継続教育学院。この本は、その「授業記録」です。教育研究者の横須賀薫氏の授業批評と一揃いになっています。

わたしの専門はもともと建築・都市計画でした。那覇市役所で22年間、そういった畑で仕事をしていました。環境保全にもずいぶん興味がありました。小学校で環境教育が必要だな……と考えはじめたころ、なんの巡りあわせか、沖縄県が民間人校長の募集をはじめたのでした。わたしは迷いもなく応募。運よく民間人校長の第一号になれたのでした。

素人校長のために、6か月間の事前研修を県が用意してくれました。その研修がはじまる数か月まえに、たまたま西江重勝氏（当時、那覇教育事務所長）のレクチャー「授業について」を受けることになりました。この講習は、さきほどの事前研修とはまったく関係のないもので、NPOが主催した、沖縄県のヤンバルの森のなかでの「環境教育」のひとコマでした。邂逅とはこのことで、西江氏からはじめて「斎藤喜博」の授業を核とした学校づくりの話をうかがったのでした。衝撃的でした。ちがった歯車が動きだしたようで、喜博の本を読み漁りました。それでとうとう学校づくりの「核」を、環境教育と授業研究にきめたのでした。

なお、斎藤喜博（1911〜1981年）は、日本の教育者。52年に群馬県島小学校の校長となり、11年間、「島小教育」の名で教育史に残る仕事をされました。島小時代には授業と行事（合唱、総合表現など）を中心とした公開研究会をまいねんひらき、計8回の公開研に全国から一万人ちかい教師、研究者が参加しました。晩年には林竹二学長に請われて宮城教育大学の教授に就任、教師養成教育に尽力されました。

わたしは、２００４年4月から２０１４年3月まで、小学校の校長を勤めました。授業研究は、宮城教育大学の学長を退任されたばかりの横須賀薫氏、川嶋環氏（元・群馬県島小学校教員。当時の校長は斎藤喜博）、野村新氏（元・大分大学学長）、狩野浩二氏（現・十文字学園女子大学教授）、西江重勝氏（前出。元・小学校校長）の方々を招聘講師としてお迎えしました。

授業研究会では、わが校の先生方に研究授業をいくどとなくやってもらいました。招聘講師陣にも研究授業をたくさん実施していただきました。もちろん、事中・事後の研究会をそのたびにひらきました。こういった学校づくりを十年間つづけているうちに、わたしは授業、とくに詩や短歌を教材にした授業の魅力に、取り憑かれていったのでした。

ありがたいことに横須賀氏の紹介で、定年退職後に重慶で日本語教師になれました。「授業をやってみたい」という思いが、重慶でかなうことになったのでした。

日本語センターと継続教育学院

日本語センターの学生は、ほぼ全員が日本へ留学します。学生たちは、このセンターで半年から一年間、日本語を学び日本へ旅だちます。大学入学まえの若い人たちがほとんどで、現役の高校生もおおくいました。教えたのはおもに「日本語会話」。その期間は、２０１４年の10月からコロナ禍のはじまった２０１９年12月まで。

継続教育学院は４年制の大学で、この学院から日本に留学する学生はさほどいません。学生たちは二十歳ぜんごの、これまた若い世代。なお、この大学で教えはじめたのは２０１６年９月から。担当教科は「日本語会話」。２０２０年６月末までの従事（ただし、最後の半年間はオンライン授業）。

詩や短歌の授業は、両学院での日本語会話のなかで、折々おこないました。

日本語教育の不足感

重慶に赴任するまえに、「外国人のための日本語教育」を勉強しておきました。

その教育方法や教材は、さすがに長年にわたる実践の成果がよくあらわれていました。ここに携わってこられた方々の努力に敬意を抱きました。でも、少しものたりなさも感じました。それは、外国人のための日本語教育は「文法」や「実用的な会話」が主流であるということにたいしてでした。このことに疑問を感じたので、友人の教師に訊いてみました。

「（日本語教育の）教え方が画一であり、また語学教育と云いながらもこれは幼児教育と同じでは。様々な教育方法があってもいいのでは……」とのこと。

わたしの疑問も彼とおなじ。当方の流儀は、恒常的に「詩や短歌を教材にし、日本語のたのしさや美しさ、リズムなどを教えてもいいのでは……」ということです。げんざいの日本語教育で、まれに俳句などを教材にしていることがあっても、それは主流のなかの「刺身のつま」のような扱いにみえます。基礎をじゅうぶんに積んでからでないと、詩などは理解できないとの親心ではありましょうが……。

もちろん、文法や実用会話などの学習は必須であることはいうまでもありません。それでもこれらと並行して、詩や短歌なども学ばせたほうが、日本語の「芯」をよりよく理解できるとわたしは考えています。そのことは、本書で紹介している授業記録のなかの学生たちの反応や学びから、わたしには読みとることができるのです。

なお、この友人が教えていた中国のある都市では、日本人教師会の活動が活発で、授業実践や問題点などの研究発表をおこない、そのご懇親会で交流していたとのこと。こころ強いかぎりです。

中国からの留学生・昔と今

中華人民共和国成立から1980年代の前半までの留学生は、ほとんどが国費留学でした。国の使命を背にのせたエリートたちでした。

重慶で中国人のSさんと知りあいになりました。わたしとおなじ世代です。かれは1980年代後半に日本に留学。そのころには自費留学生もふえだし、お金をかせいで一旗揚げようと考える学生もおおくなっていました。Sさんもそのひとりだったようです。この時代の中国人留学生は、すくなからずこういった願いを抱いて、豊かだった日本にやってきたようです。ちょうど現在のネパールなどから留学してくる若者たちとおなじなんでしょう。

40年ほどたった今はどうでしょうか。わたしが日本語を教えていた日本語センターの学生たちは、ほとんどが中流家庭の子どもたちでした。日本でひと財産をつくるために留学したいのではありません。日本のアニメや漫画をみて日本が好きになった。アニメクリエイターになりたいから。羽生結弦やアイドルの嵐、作家の東野東吾が好き。日本の歴史や文学に興味をもっているから……。日本の芸大で学びたいから。幼児教育のレベルが高いから。中国での受験勉強をさけたいから。イギリスやアメリカの大学にくらべて学費が安いから、日本は近いから……こういった理由で、日本に留学してくるのです。

日本への留学を希望している学生たちは、とにかく日本が大好きなのです。ウキウキして日本にくるのです。だかこそ、中国人留学生が日本で不愉快な経験をしたり、差別されたりしないことを、どこまでも願っています。

この本で伝えたいこと

本書は、現代中国の若い世代に関心のある方々、日本語教育に興味のある方々、小学校や中学校で授業をされている先生方、詩や短歌が好きな方々などに読んでいただければ幸いです。

本書で伝えたかったことはつぎのとおりです。

①日本にあっては情報量のきわめてすくない中国人学生の、授業にとりくむ様子。
②外国人にたいする日本語教育のあらたな試み。
③一授業者の詩や短歌などの解釈と授業展開。
④授業批評からその授業の改良点、教材の解釈、授業展開の方法などについて。

なお本書をとおして、中国の若い世代と日本人教師のこころの交流をも読みとっていただけたら、なお幸いです。

授業批評について

この授業記録は、板書の写真と記憶をたよりに書きおこし、私信「火鍋通信（ひなべつうしん）」で友人・知人たちにeメールでおくっていました。

なお、重慶は四川盆地にあって、人口三千万人をこえる大都市です。当地の代表料理は「火鍋」という鍋料理です。中国全土での人気メニューです。その火鍋を私信名に拝借しました。この「火鍋通信」は、重慶に住みだしてすぐに発行しはじめました。はじめのころは重慶での生活の様子を紹介していました。しばらくして横須賀氏から、授業の様子も知らせてくれたら……との返信がありました。そのこともあって、授業記録を中心に発行するようになりました。

横須賀氏には、もともと授業指導をしてくださるようにお願いしていました。快諾してくださり、コメントをeメールでまいかい返送してくれました。なお、その批評を待つあいだは、いつも地に足がつかない状態でした。

氏の批評はどれも思わず膝をポンとたたくものばかりでした。あるいは痛いところの中心をついてくれました。ただし、世間の目からみると、その批評はときに厳しいものと受けとられがちのものだったようです。あるとき、氏の批評を教育畑で仕事をしている知人にみせたところ、「厳しいですね……」と同情（?）してくれました。わたしは、横須賀氏の意図を理解しているつもり。氏は、「授業づくりに役立つように……」という考えから、教育学者としての本来の仕事をまっとうしているわけです。お世辞をいったってはじまりません。それは渡世には役だっても、授業研究そのものには無用の長物です。

ところで、氏との関係は師弟関係のようなもので、また信頼関係にもとづいたものである、とわたしは考えています。師（氏）の批評がなかったなら、わたしの授業実践は独善におちいっていたことでしょう。まして5年間も日本語教師を続けてはいなかったかもしれません。

さて、授業研究というものは、教材研究→授業実施→批評→教材研究……、という反復が必要だと、わたしは考えています。ここで成果があがるかどうかは、批評者の力量におおきく左右されることになりましょう。批評者の力量が授業者とボチボチならば、さほどの成長も見込めないはず。「ドングリの背くらべ」ではなかなか果実はえられないと力説しておきましょう。このことは、小学校での10年間にくわえて、中国人の学生たちと仙台の横須賀氏とで、１００回をこえる研究授業にとりくんだ経験からのつたない知見です。

なお、重慶に住みながら、日本語初級や中級レベルの中国人学生が学びやすい教材を探すことは一苦労でありました。周囲に相談できる人もなく、教材選定は独りよがりになりがちでした。さらに出典等にあたることも容易でないため、教材を「作品」としてみれば不十分なところがありましたが、学生との対話の材料としてはたいへん有効であったことを、ここにつけ足しておきましょう。

オンライン授業について

新型コロナの影響で、大好きな重慶を去ることになりました。２０２０年9月からは、福建師範大学協和学院で日本語を教えています。親子ほど歳のはなれた中国人の友人の紹介でした。

授業は残念ながらオンラインです。協和学院に転じてから、一度も詩や短歌の授業はしていません。いや、できません。オンラインで使用している中国のアプリは、すぐれものですが学生の顔がみえません。顔が見えるアプリもありますが、モニターのなかのデジタル画像。発言も、どの顔からの発言か、瞬時にはわかりません。

対面式の授業では、学生全員の顔を同時にみることができます。注意しておけば、感情の揺らぎも見逃さないですみます。学生たちのつぶやきも聞こえてきます。教室の「空気」も重要です。重ぐるしい雰囲気なのか（これはたいてい授業者の責任）、張りつめた緊張感にみなぎっているのか……授業展開には大切な手がかりとなります。

授業は、こういった一見ささいなことや、皮膚感覚が重要になってきます。もちろん詩や短歌の授業でもそうです。オンライン授業で、わたしが詩や短歌などを教材にしない理由はここにあります。コロナ禍は、授業づくりで大切なことを際立たせてくれました。パンデミックがおさまり、福建の若い世代と顔を突きあわせて、詩の授業ができることを待ちのぞんでいます。うれしいことに、当地の学生たちも、「先生、はやく来てください……」とオンラインで招いてくれています。

横山芳春

もくじ

※本書は２０１４年10月〜２０１９年12月のｅメール通信「火鍋通信」の中の詩歌の授業記録を抜粋しあらたにまとめ直した。

授業記録の中で、学生名（アルファベット）のあとに「君」「さん」を添えているが、それは男子学生と女子学生の区別をつけるためにそうした。ただし［まど・みちお「ネコ」の授業］の記録はのぞく。

まど・みちお「ネコ」の授業

火鍋通信92号（２０１７年４月11日）

ネコ　　まど・みちお

あくびを　するとき
ネコのかおは花のようになります

だれも　見ていなくても
じぶんにも　見えなくても

でも　るすばんの　ざしきで
ネコが　かおを
クレオメの　花にしたとき
それを　見ていました

たたみのイグサの　一ぽん一ぽんが
しょうじの　さんの　一ぽん一ぽんが
てんじょうの木目の　一ぽん一ぽんが
かおを　すりよせるようにして

継続教育学院のクラスで詩の授業。学生は9人。日本語能力は中級程度。学生たちにノートに書き写すように指示しながら、授業者が詩を板書する。板書し終わった授業者が、学生たちを見て回る。ひとりの学生が、横書きしているので注意。全員の学生が、第一連から第四連まで連続で書いている。各連の間に、1行開けるように指示する。それぞれに、音読してもらう。その後、ふたりに音読してもらう。結構、スムーズに読んでいる。

授業者「ネコを飼っている人はいますか」

3人の学生が手をあげる。

授業者「ネコがあくびするとどんな顔になるのですか」

学生「かわいいです」

授業者「ほかには」

学生「……」

授業者「詩の中の言葉で漢字に書き替えできるところは」

3人の学生が、いくつかの単語を漢字にしてくれた。

それらの漢字は、つぎのとおり。

猫、欠伸、顔、誰、自分、留守番、座敷、畳、仕草（「い草」を間違えた。授業者が「い草」と訂正する）、障子、天井、一本一本、寄せる。

授業者『さん』は、桟と書きます。障子はなんですか」
学生「戸、ふすま……」
授業者「木と紙で作った戸ですね（絵を描く）」「桟は、（絵の中の桟を指しなら）これですよ」
学生たち「わかりました」
授業者「木目はなんですか」
学生「木の様子です」
授業者「絵を描いてみて……」
　学生が前に来て、木目を描いてくれる。
授業者「このネコは、野良猫ですか。人に飼われているネコですか」
学生「人に飼われている」
授業者「どこでわかりましたか」
学生「留守番……している」
授業者「そのとおりですね」
授業者「座敷はなんですか」
学生「坐る……部屋」
授業者「そうです。畳を敷いている和室ですね」
授業者「クレオメはなんですか」
学生「花です」

授業者「どんな花ですか。見たことがありますか」
学生「ありません」
授業者「スマホで検索してみて……」
ひとりの学生がすぐに写真をスマホ上に出してくれる。前もって調べていたようだ。その画像をみんなで確認する。
授業者「摺り寄せるの意味は」
学生「わかりません」
授業者「(ノートを手にもって)これが顔です。(授業者の顔をノートに寄せていき)これが摺り寄せるです」
学生「あ……ん」「わかりました」
授業者「これで、わからない単語はないですね」
学生たち「はい」
授業者「つぎに疑問点を考えましょう」
学生たち、じっと考えている。
ここで、1時限目が終了。

2時限目の開始。
授業者「疑問点、できましたか」
学生「なぜ、い草、桟、木目の一本一本が顔を摺り寄せるようにしたのか」

学生「一本一本は、だれが数えたのか」
学生「どうしてクレオメの花なの（花はいろいろあるのに……）」
授業者「『ネコが顔をクレオメの花にしたとき』、とは何をしたのですか」
学生「顔をした……」
授業者「？？？」
おなじ学生「（笑いながら）あくびをした」
授業者「『それを見ていました』は何が誰が見ていたの」
学生「詩人が見ていた」
授業者「ネコは留守番しているから、詩人はいませんね」
学生「詩人が隠れて見ていた」
授業者「どこにも、そんなこと書いていませんよ」
学生「ネコが見ていた」
授業者「『じぶんにも見えなくても』と書いてある。ネコも見ていませんね」
授業者「もう一度、詩を読んでください」
　学生たちが詩を読んでいる。
授業者「一本一本が……」と読む。
学生「あ！　一本一本が見ていました」
学生「擬人法です」

授業者「何の一本一本ですか」
学生「い草、桟、木目の一本一本です」
授業者「そのとおりですね」
授業者「それを見ていました、と書いてあります。それ、は何ですか」
　学生たちが考えている。
学生「ネコがあくびした顔」
授業者「ほかはないですか」
学生「ネコの（あくびをする）動作」
授業者「ネコのあくびした顔と思う人は」
　4人の学生が手をあげる。
　動作はひとり。
　のこりの4人はわからない。
授業者「わたしの考えは違いますよ。ネコの髭（ひげ）だと思いますよ」
学生「えっ！」「どうして！?」
　何人かの学生がビックリしている。
授業者「どうしてかすこし考えてみて」
授業者「クレオメの花はどんな花でしたか」

スマホでいち早くクレオメを見つけた学生が「あ！」とちいさく喚声をあげる。

授業者「どんな花でしたか」

学生が、自分の十本の指でクレオメの花から出ている線上のものを表現している。

授業者がクレオメの花の絵を描く。

授業者「花から出ているは、雄しべと雌しべですよ」

学生たちの間から、「あー」という言葉が何人からも飛び出してくる。クラスの雰囲気が一気に変わった瞬間である。

授業者「何がわかりましたか」

学生「ネコのヒゲとクレオメのこれ（雄しべと雌しべ）が同じです」

授業者「そうですね。そっくりですね」

授業者「それでは、い草、桟、木目の一本一本は」

学生「ネコのヒゲに似ている」

授業者「顔を摺り寄せるように見た理由は」

学生「ネコのヒゲを一本一本、見る……」

授業者「ネコのヒゲは細くて小さいので摺り寄せるように見たのですね。あるいは、ヒゲとよく似ているでそのように見たのでしょうね」

学生たちが、満足しているように見える。

授業者「こういう詩ですね」

学生たち「はい」

授業者「では、おもしろい詩ですから覚えましょう。練習してください」

　学生たちが真剣に詩を記憶しだしている。

もっとも日本語がたどたどしい学生に、一番に朗読してもらう。彼がチラチラと板書の詩を見ている。構わない。

つぎに授業者が、つぎのように詩の一部分を消す。

ネコ

あくびを
ネコのかおは
だれも
じぶんにも
でも　るすばんの
ネコが

クレオメの
それを

たたみのイグサの
しょうじの　さんの
てんじょうの木目の
かおを

授業者「君、朗読してください」
　学生がなんなく朗読してのける。
　授業者がさらに言葉を消していく。

ネコ

あ
ネコ

だ

じ

でも
ネコ
ク
そ

たたみ
しょうじ
てんじょう
かお

学生がちょっと詰まりながらも朗読する。
最後に、授業者が全部を消し去る。
2人の女子学生が、すっきりと朗読をしてくれた。
授業終了。

横山芳春さま

你好！　拝読。継続教育学院の学生のおかげで、よい授業になりました。それだけでなく、音読―暗唱という読み中心にして、「わからない言葉ありませんか」を封印したところが成功のカギです。

クレオメの花というのは、私も知りませんでしたが、スマホで早速見つけた学生のお手柄ですね。また、それを素直に受け止め、授業に生かした柔軟な対応もヒットでしょう。まどさんはおそらくクレオメの花を見ていてこの詩を思いついたのでしょうね。猫からクレオメではないでしょう。

授業は基本的に授業を受けているものが教材を受け止め、それに共感したり、楽しむことが基本で、生徒や学生は授業者の授業のためにあるわけではないのです。いま日本で流行りの標語で言えば〝生徒（学生）ファースト〟です。暗唱がスムースに行ったのはそれが実現していたという証拠でしょう。夜までの授業お疲れ様でした。再見。

横須賀　薫

山村暮鳥「西瓜（すいか）の詩」の授業

火鍋通信96号（２０１７年5月16日）

西瓜（すいか）の詩　山村暮鳥

農家のまひるは
ひっそりと西瓜のるすばんだ
でっかいやつがごろんと一つ
ざしきのまん中にころがっている
おい、泥棒がへえるぞ
わたしが西瓜だったら
どうしてふきださずにいられたろう

今日は、山村暮鳥の「西瓜の詩」で授業。対象クラスは、継続教育学院の2年生から4年生の8人。授業時間は60分ほど。

授業者が板書。学生たちが書写。めいめいに音読をうながす。3人の学生に音読を指示。3人とも「詩」を「し」と読んでいる。授業者は、「し」でも「うた」でもどちらでもよいと言う。WO君が、「泥棒」を「どろぼん」と読んでいる。隣に座ってるSOさんが「どろぼう」とささやいている。

授業者『西瓜』が果物屋にたくさんでていますね。中国語で何と言いますか」
KＩ君「シーグワーです」
授業者「どの季節が一番おいしいですか」
ＩＮさん「夏です」
授業者「真夏ですね」
学生たち「はい」
授業者「詩を読んでどんな風景が見えますか。何が見えますか」
ＳＯさん「和室」
授業者「座敷ですね」
Ｒ君「家」
授業者「農家ですね」
ＩＮさん「西瓜」
ＫＯさん「畑。畑の小屋。西瓜が盗まれないように……」
　授業者はＫＯさんが西瓜泥棒をイメージしていることに気づく。このことについては、あとで解決していくことにする。
授業者「畑ですね。農家があれば畑もありますよね」
ＣＨさん「太陽」

授業者「太陽はどのへんに見えますか」
CH「上に」
授業者「真上ですか」
CHさん「はい」
授業者「『でっかい』は何ですか」
SOさん「おおきい」
授業者「『でっかいやつ』は」
INさん「西瓜」
授業者「『やつ』は『あいつ』の乱暴な言い方です。ふつう、男性が使う言葉です」
授業者「西瓜のことを『やつ』といっている。西瓜を人間扱いしている。こういう表現方法を何といいますか」
学生たち「……」
SOさん「擬人法」
　授業者が「擬人法」と板書。
授業者「『ごろん』はどういう意味ですか」
　K1君が手のひらを反したりして表現している。
授業者「K1君、そのとおりですね。重いものが無造作にころがったり、横たわったりする様ですね」
授業者「『おい、泥棒がへえるぞ』は他とは違う表現ですね。何ですか」

ＫＯさん「会話です」
授業者「ここだけが会話文ですね」
授業者「『おい』はどういう意味ですか。中国語で『ウェイ』ですね」
　学生たちが笑う。
授業者「呼びかけるときに言いますね」
授業者「何に呼びかけるときに使いますか。机にむかって『ウェイ、ウェイ』と言いますか」
　学生たちが笑っている。
Ｋ１君「人に言います」
授業者「人にたいして使う言葉ですね」
授業者「『へえる』はどういう意味ですか」
学生たち「……」
Ｋ２君「入る」
授業者「よくわかりました。入るですね。泥棒が入るといってますね」
授業者「『へえる』もふつうは男性が使う言葉ですね」
授業者「『ふきだす』を漢字で書いてください。Ｋ２君、お願いします」
　Ｋ２君が、「間違っているかもしれませんが……」と言いながら、「吹き出す」と板書してくれる。
授業者「いいですね。『噴き出す』でもいいですよ。どちらでもいいです」
授業者「『こらえきれずに笑いだす』という意味ですね」

授業者「『どうしてふきださずにいられたろう』は笑っただろうと言っているのですか、笑わなかっただろうと言っているのですか」

学生たちが考えている。

ＩＮさん「笑わなかった」

授業者「ＩＮさん、どうですか」

ＳＵさん「笑わなかった……」

授業者「ＳＵさんはどうですか」

授業者「ここは、笑っただろうですね」

授業者「『どうしてふきださずにいられたろう』は、『ふきだしただろう』という意味になります。文法の時間ではまだ習っていないのかな……」

授業者「これでこの詩の書いてあることはわかりましたね。音読をしましょう」

学生たちが、めいめいに音読する。

授業者「では、『おい、泥棒がへえるぞ』とは、誰が誰に言ったのですか」

学生たちが考えている。

ＳＯさん「わたしが西瓜に言った」

授業者が「①わたしが西瓜に言った」と板書する。

授業者「ＣＨさん」

ＣＨさん「西瓜がわたしに言った」

授業者が「②西瓜がわたしに言った」と板書。

Ｋ１君「わたしがわたしに言った」

授業者が「③わたしがわたしに言った」と板書。

授業者「ＫＯさんは？」

ＫＯさん「まだわからない」

授業者が、「④まだわからない」と板書する。学生たちが笑っている。

授業者が、全員の考えを確認する。

①２人

②４人

③１人

④１人

授業者「これから理由・根拠を訊きます。近くの人と話し合ってもいいですよ」

学生たちが、熱心に話し始める。すこしして休み時間に入る。

授業再開。

授業者「Ｋ１君、『わたしがわたしに言った』の根拠は何ですか」

Ｋ１君「るすばんの西瓜が盗まれるかもしれないので、わたしがわたしに言った」

授業者「独りごとですか」

Ｋ１君「はい」
授業者「泥棒は西瓜を盗むんですか」
Ｋ１君「そうです」
Ｒ君が何かを言いたそうである。
Ｒ君「西瓜じゃない。家のものを盗む」
授業者「お金とか……」
Ｒ君「はい」
授業者「でっかい西瓜を盗んで逃げるのも変ですね。泥棒がわざわざ西瓜を盗みに入るんでしょうかね……」
Ｋ１君「そうですね。①にします」
　Ｋ１君が①の考えに変えたので、学生たちが笑いだす。
まだわからないと言っていたＫＯさんが、「(私も) ①にします」と発言する。ＫＯさんも、授業の初期段階で、泥棒が西瓜を盗むと考えていたひとりだ。
授業者「Ｋ２君、『西瓜がわたしに言った』の根拠は何ですか」
Ｋ２君「家にだれもいないので、西瓜がわたしに注意した」
　ＣＨさんが挙手をする。
ＣＨさん「『おい』は、人にたいして言うので、西瓜がわたしに言った」
授業者「そうだとすると、わたしはどうして笑いだしただろうと言っているのですか」

CHさん「……」

　この時点で、

①の考えが6人。

②の考えが2人（CHさんとK2君）。

③の考えが0人。

④が0人となる。

授業者「①の考え『わたしが西瓜に言った』、SOさんの根拠は何ですか」

SOさん「わかりません」

K1君「『わたしが西瓜だったら　どうしてふきださずにいられたろう』と書いてある。西瓜がごろんところがっている……だから……」

K1君は、なにかをつかでいるようだが、うまく説明できないでいるような感じだ。

　なにか言いたそうなR君。

R君「わたしが西瓜だったら笑っただろうから……」

授業者「わたしが西瓜だったら、どうして笑ったんでしょうか」

授業者「西瓜は座敷でごろんと何をしていたんでしょう」

SOさん「ころがっていた」

授業者「夏の暑い昼にごろんところがって何をしていたのですか」

学生たち「……」

授業者「あなたたちは､夏の暑い昼に､昼ご飯をたべて、ベットでごろんところがってなにをしますか」
ＩＮさん「テレビを見る」
Ｒ君「昼寝する」
授業者「そうですね。留守番の西瓜は昼寝をしているように見えたのでしょう」
学生たちの表情がフワーと和らぐ。
授業者「わたしは、昼寝している西瓜を見たのですね」
Ｒ君さん「そうそう」
　ＳＯさんが笑っている。
授業者「留守番のくせに昼寝をして、泥棒が入ったらどうするんだよ……とわたしは言ったのでしょうね」
Ｋ1君「笑った……」
授業者「西瓜にそのように言った私自身が可笑しかったんでしょう。だから、『わたしが西瓜だったら　どうして……』という言葉になったんでしょう」
　学生たちが、一斉に笑いだす。
　Ｒ君が「すっきりした」と言っている。
授業者「これでスッキリしましたね」
学生たち「はい」
授業者「では、朗読をしましょう。なるべく覚えてくださいね」

授業者「会話の部分『おい、泥棒がへえるぞ』のところは気持ちを込めてくださいね」

すこし時間をあたえる。

最初に朗読してくれたＩＮさん、それに続くＫ２君の読みが早かったので、ゆっくり詠むように指示を出す。

それに見事にこたえてくれたのが、ＷＯ君だ。あきらかに日本語の会話能力が一番低いＷＯ君が、ゆっくりとイメージ豊かに朗読を開始した。「おい」のところで一段と高い声を出し、朗読に変化を出していた。

聴いていて、西瓜が浮かび上がってくるようだった。

横山芳春さま

你好！　おはようございます。ようやく晴天になってきました。何日降り続いたでしょうか。さて、「西瓜の詩」の授業記録拝見、教材にも恵まれて、K君、K2君の日本語能力、あるいは文学的理解力の高さが展開をつくってくれたようで、よい授業になりました。

P30「で（一字不明）、『おい、…、誰が誰に言ったのですか」がポイントをついた好発問で、これで授業がしまりました。なぜならここがこの詩の核で、また知っているか、わかったかのレベルを超えて、考えさせる問いになっているからです。

その後の展開も、単に問答にしてしまわずに「全員の考えを確認」し、次第に①に収斂させているところ、なかなかのお手並みです。細かいことですが、P27「詩を読んでどんな風景が見えますか。何が見えますか」は「何が見えますか」→「どんな風景が」の順になる方が自然です。漠然と訊く→しぼって訊く、という順ということです。記録の表記も発言者が個別化され、理解しやすくなりました。お疲れさま。

もう、重慶は西瓜が出回る時季ですか、仙台はもちろん日本列島はまだまだです。

ではお元気で。再見。

横須賀　薫

茨木のり子「わたしが一番きれいだったとき」の授業

火鍋通信97号（２０１７年５月24日）

わたしが一番きれいだったとき

茨木のり子

わたしが一番きれいだったとき
街々はがらがら崩れていった
とんでもないところから
青空なんかが見えたりした

わたしが一番きれいだったとき
まわりの人達が沢山死んだ
工場で　海で　名もない島で
わたしはおしゃれのきっかけを落としてしまった

わたしが一番きれいだったとき
だれもやさしい贈物を捧げてはくれなかった
男たちは挙手の礼しか知らなくて
きれいな眼差(まなざし)だけを残し皆発(た)っていった

わたしが一番きれいだったとき
わたしの頭はからっぽ
わたしの心はかたくなで
手足ばかりが栗色に光った

わたしが一番きれいだったとき
わたしの国は戦争で負けた
そんな馬鹿なことってあるものか
ブラウスの腕をまくり卑屈な町をのし歩いた

わたしが一番きれいだったとき
ラジオからはジャズが溢れた
禁煙を破ったときのようにくらくらしながら
わたしは異国の甘い音楽をむさぼった

わたしが一番きれいだったとき
わたしはとてもふしあわせ
わたしはとてもとんちんかん

わたしはめっぽうさびしかった

だから決めた　できれば長生きすることに
年とってから凄く美しい絵を描いた
フランスのルオー爺さんのように　ね

継続教育学院で茨木のり子の詩をつかって授業。学生は3年生と4年生の7人。今回はけっこう長い詩なので、あらかじめ詩をプリントして持参した。なお、授業時間は90分。途中に休憩を10分いれる。
授業者は始業時間の5分前から、詩の板書をはじめる。詩を印刷しているプリントを配り、音読を5回して、その後はわからない言葉を調べるように指示する。授業者が板書を終わって、机間巡視をする。

授業者「では、全員で音読しましょう」
学生たちが音読する。詰まらずに読んでいる。「挙手」を「きょうしゅう」と読んでいる学生が数人いる。
授業者「G君、読んでください」
G君が音読する。日本人に近い発音で読んでいる。

授業者「G君、発音がいいですよ。日本人が音読しているみたいですよ」
　授業者「もうひとり読んでみて……KOさん、お願いします」
KOさんが、これもなめらかに音読してくれる。
授業者「第一連をみんなで読みましょう」
　学生たちが読む。
授業者「なにが見えますか」
KO君「街」
SOさん「崩れた街々」
G君「青空」
INさん「わたし」
授業者「第二連を読みましょう」
　学生たちが読む。
授業者「なにが見えましたか」
SOさん「死んだ人達」
KOさん「工場」
R君「海」
G君「島」
SOさん「わたし」

授業者「第二連を読みましょう」
　学生たちが読む。
授業者「なにが見えますか」
ＩＮさん「挙手」
ＫＯ君「男たち」
ＳＯさん「きれいな眼差」
Ｒ君「先生、『挙手』とはなんですか」
授業者「挙手はなんですか」
　ＩＮさんが手を挙げている。
授業者「挙手は手を挙げるですね。『挙手の礼』はなんですか」
　ＳＯさんが、胸の前で手を合わせている。ＫＯ君が敬礼の真似をしている。
授業者「ＫＯ君、それが挙手の礼ですね。誰がするのですか」
ＫＯ君「兵士」
授業者「そうですね。兵士がするのですね。兵士はどこに発ったのですか」
学生たち「……」
授業者「どこに行ったのですか」
ＫＯさん「戦場へ行った」
授業者「『やさしい贈物』とはなんですか」

R君「やさしい言葉」
授業者「『愛している』とかですか」
R君「そうです」
授業者「『捧げる』はどういう意味ですか」
SOさんが、なにかを持っているような両手を前方に差し出している。
授業者「SOさん、その通りです。相手に差し上げるのですね」
授業者「第四連をみんなで読みましょう」
学生たちが音読する。
授業者「何が見えましたか」
Rくん「頭」
授業者「だれの頭ですか」
R君「わたしの頭」
KO君「不健康な体」
授業者「どうして不健康なのですか」
KO君「手足が栗色だから……」
授業者「ここは、日焼けしているのかもしれませんね」
授業者「第五連を読みましょう」
学生たちが音読。

授業者「なにが見えましたか」
ＩＮさん「戦争で負けた……国」
Ｒ君「太平洋戦争ですか」
授業者「そうです」
授業者「戦争で負けた国はどこですか」
ＩＮさん「日本」
授業者「『馬鹿なこと』ってなんですか」
ＩＮさん「戦争に負けたこと」
授業者「ところで、第三連の『きれいな眼差』とは、なんのことですか」
ＫＯ君「戦争に勝つと信じている……」
授業者「すごいですね。その通りだと思います。戦争に勝つことを信じていて、戦場に行ったんですね」
授業者「ほかになにが見えますか」
Ｇ君「ブラウス」
授業者「ブラウスって、なんですか」
ＳＯさん「シャツです」
授業者「ブラウスの腕をまくり……町をのし歩くとは、どういう歩き方ですか。Ｒ君、やってみてください」
　Ｒ君がシャツをすこしまくって、大股で歩いてくれる。

授業者が、その様子をさらにおおげさに表現してみせる。
授業者「なぜ、このように歩いたのですか」
KO君「怒っている」
授業者「KO君、すごいですね」
授業者「ほなになにが見えますか」
INさん「卑屈な町」
授業者「卑屈な町ってなんですか」
学生たち「……」
授業者「戦争に負けた日本に、アメリカ軍が入ってきました。そのアメリカ軍に日本人は媚びたのです（『媚びた』と板書する）」
学生たちから「あー（そういうことか……）」と言う声が漏れる。
R君が「（日本の）歴史のことを知ってたら……もっとわかる……」とつぶやいている。
授業者「第六連をみんなで読みましょう」
学生たちが読む。
授業者「今度は、なにが見えましたか」
SOさん「ラジオ」
授業者「『ジャズ』はなんですか」
KOさん「音楽」

授業者「どこの国の音楽ですか」
KOさん「アメリカです」
授業者「日本は戦争中、アメリカの文化を禁止したのです。ジャズを聴くことを禁止しました。戦争に負けてから、ジャズを聴くことができるようなりました」
R君「戦争前は（日本人は）ジャズは嫌いだったんですか」
授業者「好きだったと思いますよ」
授業者「ジャズが溢れたは、どこでもいつでもジャズが流れているようになったということです」
授業者「ところで『音楽をむさぼる』はなんですか」
KOさん「たくさん聴く」
授業者「どういう気持ちですか」
KOさん「満足しない……」
授業者「いいですね。『むさぼる』には、なにか満足できないと言う意味がありますね」
授業者「第七連をみんなで音読しましょう」
　学生たちが音読する。長い詩だが、学生たちは集中力を切らさないでいる。
授業者「何が見えましたか」
SOさん「ふしあわせなわたし」
KOさん「さびしいわたし」
授業者「『とんちんかん』って、どういう意味ですか」

学生たち「……」
授業者「『とんちんかん』は、つじつまが合わないこと、まぬけなことを意味します」
授業者「最後の連を音読しましょう」
　学生たちが音読。
授業者「なにが見えましたか」
KO君「決意」
授業者「決意ですか。目には見えないでしょうが……すごいですね。誰の決意ですか」
KO君「わたしです」
授業者「ここはあとで考えましょう」
授業者「ほかになにが見えましたか」
SOさん「絵」
KOさん「『ルオー』ってなんですか」
授業者「フランス人の画家です。年を取ってから、とても美しい絵を描きました。非常に有名な画家です」
授業者「ところで、一番きれいだったときとは、何歳ぐらいだと思いますか」
KO君「18歳ぐらい」
SOさん「14歳から17歳くらい」
授業者「ところで、KO君は、最後の連を『決意』と言っていました。わたしが決意したと。では、戦争中のことを書いているのはどの連ですか」
Ｇさん「第一連から……」
授業者「どの連までですか」
ＩＮさん「四連まで」
授業者が次図のような線と「戦中」という文字を記入する。
授業者「第五連は戦中ですか」
Ｒ君「戦後です」
授業者「第六連は」
ＩＮさん「戦後です」
授業者「第五六連は戦後すぐですね」
学生たち「はい」
授業者「第七連は戦中ですか、戦後ですか」
学生「……」
授業者「なにが『とてもとんちんかん』でしたか」
ＳＯさん「あたまはからっぽ……」
授業者「それですね。戦中ですね」
授業者「さびしかったのは、どこに書いてありますか」
学生たちが考えている。

授業者「心が満たされなかった、満足できなかったところでしょうね」
KOさん「音楽をむさぼったところです」
授業者「そうでしょうね。それは戦後ですね」
　授業者が次ページのように作図する。
授業者「では、わたしはなにが『とてもふしあわせ』だったんですか」
授業者「すこし時間をあげます。考えてみてください」
　3分ぐらいたって……
授業者「わかりましたか」
INさん「戦争に負けたこと」
　授業者が「①戦争に負けた」と板書。
KO君「人がたくさん死んだ」
　授業者が「②人がたくさん死んだ」と板書。
G君「戦争中だった……」
　授業者が「③戦争中」と板書。
SOさん「衣食住がない……」
　授業者が「④衣食住がない」と板書。
　ほかには意見がない模様。それで、全員の考えを確認する。
①が1人。INさん。

②が2人。KO君とR君。
③が1人。G君。
④は2人。SOさんとWA君。
授業者「あとひとりは誰ですか……。KOさんですね。KOさんの考えは？」
KOさん「考え中です」
授業者「わたしの考えを言いますよ。みなさんの考えとは全然、違いますよ」
学生たちが、全員、授業者の方に顔を向ける。教室の雰囲気が変わる。
授業者「わたしは、『おしゃれのきっかけを落としてしまった』と『だれもやさしい贈物を捧げてはくれなかった』、このことをふしあわせだったと思っている」
すかさずKO君が「ぼくも、そう思っていた……」
授業者「え！」「どうして、そういわなかったの？　KO君は、人がたくさん死んだことがふしあわせ……だったでしょう」
横からSOさんが、「自信がなかった……」とKO君に言っている。
KO君が笑っている。
授業者「KO君、あとで根拠を訊きますよ」
授業者「SOさん。食のこと、どこにかいてありますか」
SOさんが考えている。
SOさん「（書いて）ないです」

授業者「住のことはどこに書いてありますか」
SOさん「街々はがらがら崩れていった」
授業者「でも、住まいがないとは書いていませんね」
SOさん「はい」
授業者「衣のことは、どこに書いていますか」
SOさん「……」
授業者「おしゃれのことを書いていますね。ここはすこし当てはまりますね」
授業者「G君。戦争中でふしあわせだった。では、戦後のすぐは、ふしあわせではなかったのですか」
　G君が考えている。
授業者「戦争に負けて、ブラウスの腕をまくり卑屈な町をのし歩いたんでしょう。これは、怒っているということでしたね。ジャズをむさぼるように聴いても満足できなかった。ある意味、ふしあせですね」
G君「(ニコニコしながら) ふしあわせでした」
授業者「INさん。戦争に負けてふしあわせだった。たしかに戦争に負けて、怒ったり、満足しなかったですね。でも、詩をよく読むと違うと思います。理由をいっしょに考えましょう」

　授業者の考え (「おしゃれのきっかけを落とした」「だれもやさしい贈物を捧げてくれなかった」ことがふしあわせだったという考え) に、自分も初めからそうだったといいだしたKO君にたいして、授業者「ところでKO君、『人がたくさん死んだこと』がわたしのふしあわせではないのですか」
KO君「死んだのはまわりの人。自分に関係ない人だから……」
授業者「父が死んだとか、兄が死んだとか、具体的ではないですね」
KO君「具体的でないです。あまり関係ない……」
授業者「それに『名もない島で』死んだと言っていますね。沖縄島で死んだとか、具体的な島の名前がないですね。人が死んだことは、つまり抽象的なんですね。おしゃれのきっかけを落とした方が、不幸せだったんでしょうね」
KO君「(嬉しそうに)そのとおりです」
授業者「戦争に行った男たちもやさしい贈り物、たとえば愛しているとかいう言葉とか、愛情の印であるプレゼントもくれませんでした。男たちは、挙手の礼しか知りません(板書の『しか』を赤いチョークで囲む)、きれいな眼差だけしか残しませんでした(板書の『だけ』を赤で囲む)。やさしい贈り物をわたしに捧げてくれませんでしたね。つまり、やさしい贈物が一番のしあわせだった、と言っていると思います」
授業者「KO君、こういうことですか」
KO君「(嬉しそうに)その通りです」
授業者「INさん、私とKO君の考えはどうですか」
INさん「いいと思います」
ほかの学生たちが、にこやかな顔をしている。

学生たち「いいです」。問題が解決したようだ。
授業者「最終連の決意のところですが、なにを決意したのですか」
ＫＯさん「長生きして、美しく……」
Ｇ君「美しい生活をする」
授業者「美しい生活をして何をするのですか」
授業者「絵を描くのですか」
学生たち「……」
授業者「わたしは誰ですか」
ＫＯ君「作家」
ＳＯさん「詩人」
ＫＯさん「詩を書く……」
授業者「詩を書くのでしょうね。長生きして美しい詩を書くと言っているのでしょうね」
　学生たちがホッとしたような顔をしている。

授業者「長い詩でしたが、よく頑張りました。最後に朗読してもらいましょう」
　すこし時間を与える。学生たちがめいめいに詩を詠み始めている。
授業者「だれか、朗読したい人は？」
　これまで的確な解釈をしてきたＫＯ君がほほ笑みながら挙手する。

授業者「いいですね。お願いします」

ＫＯ君が、ゆっくりと朗読する。

　授業者が、最終連の最後の語「ね」を、ＫＯ君に続けて発声する。するとＳＯさんが、すぐに茶目っ気のある声で「ね」と発声する。

　女性陣であるＳＯさんやＩＮさんが、すごく笑っていた。授業終了。

横山芳春さま

你好！　授業記録、うれしく、拝読しました。茨木のり子を、しかもその代表作を真っ向から、中国の学生にぶっつけた勇気と、迫力に敬意を表します。また、学生たちも、それを正面から受け止めて本気で読んでくれたことに感動します。Ｐ53にあるように「長い詩ですが、よく頑張りました。」という授業者の言葉通りだと思います。

こういうまとまった、かなりの長さのある詩を教材にした授業の批評は、その展開過程の細かいところは、それほど問題にする必要はないと思っています。どんなやりかたをしてもその詩が受講者に受け止められなければ、あるいは共感を得ていなければ、授業として成立のしようがないからです。この学生たちは、そこのところこの詩に共感を感じていることがわかります。

もう少し深められたらよかったのにと思うのは「一番きれいだったとき」の読み深めでしょう。Ｐ47にかけて追及がありますが、「何歳くらいだったか」という問い、それに対して「18歳ぐらい」「14歳から17歳くらい」という的確な答えがあって、それだけで終わっています。(ちなみに茨木は開戦時は15歳、敗戦時は19歳です。)その上で「きれい」の質を追求してほしかったと思います。容貌のこと(実際、茨木はたいそう美人だったと伝えられています)だけではないのでしょう。心の問題を言っているのです。

茨木はこの時期、自分自身が「軍国少女」だったことをエッセーで告白しています。詩の表面では戦争の被害者の面が強く出ていますが、その裏に自身の心の醜さへの自虐があり、それが詩の深さになっているのです。もちろん異国の学生にその追及は無理かと思いますが、何らかの問いはあったかと思います。（ちょっと危険ですが）再見。

横須賀　薫

野口雨情「シャボン玉」の授業

火鍋通信98号（２０１７年5月29日）

シャボン玉　　　　作詩　野口雨情

シャボン玉飛んだ
屋根まで飛んだ
根まで飛んで
こわれて消えた
シャボン玉消えた
飛ばずに消えた
産まれてすぐに
こわれて消えた
風、風、吹くな
シャボン玉飛ばそ

継続教育学院で野口雨情が作詩した「シャボン玉」を教材に授業をした。学生は、2年生、3年生、4年生の7人。授業日は、5月27日（土曜日）。

授業者が板書を始める。学生たちが書写を始める。写し終えた学生たちに音読をうながす。

授業者「WA君、読んでみてください」

WA君が、音読をする。読めない漢字（屋根、飛んだなど）は、隣席のSOさんが教えている。
　つづいてKさん、INさんにも音読してもらう。
授業者「何がみえますか」
GOさん「シャボン玉」
授業者「シャボン玉って、何ですか」
KO君が、シャボン玉を吹いている様子をしている。
SOさん「石鹸でつくります……」
授業者「シャボン玉で遊んだことがありますか」
SOさん「あります。子どものころ……」
授業者「ほかに何が見えますか」
SOさん「屋根」
授業者「どういう形の屋根ですか」
SOさん「和式です」
授業者「あ……、和風ですね。描いてみてください」
　SOさんが、黒板に切妻屋根の絵を描いてくれる。
授業者「（窓の外に見える陸屋根を指さしながら）ああいう屋根ではないのですか」
学生たち「違います」
授業者「何階建てですか」

ＳＯさん「１階です」
授業者「ほかに何が見えますか」
ＧＯ君「風」
授業者「風が吹いているのですね。強い風ですか」
ＧＯ君「弱い風です」
授業者「誰がシャボン玉を飛ばしているのですか」
ＫＯ１君「子ども」
授業者「子どもは何人見えますか」
ＫＯ君「２、３人」
授業者「何歳ぐらいですか」
ＳＯさん「６歳ぐらい」
授業者「男の子ですか、女の子ですか」
ＫＯ君「両方です」
授業者「季節は？」
ＳＯさん「夏」
ＫＯ君「春」
授業者「第一連でなぜシャボン玉は壊れたのですか」
ＧＯ君「屋根に当たって壊れた」

授業者「第二連で、シャボン玉はなぜ消えたのですか」
INさん「風が強いので……」
授業者「風が強すぎてシャボン玉ができなかったのですか」
INさん「そうです」
授業者「ところで、語り手はどこにいるのですか」
KO1君「子どもの側にいる」
GO君「家のなかにいる」
授業者「家のなかから子どもたちを見ているのですか」
GO君「そうです」
授業者「語り手と子どもたちとの関係は」
SOさん「近所に住んでいる」
Kさん「親子……」
KO君「他人……」
授業者「第一連は見えているものの描写ですね（描写と板書する）」
学生たち「はい」
授業者「では、第二連は？」
KO君「描写です」
授業者「そうですね」

授業者「第三連は何ですか」
GO君「主観です」
KO1君「心の声」
Kさん「希望です」
授業者「いいですね。それらはあとで考えましょう」
KO君「『飛ばそ』はどういう意味ですか」
授業者「いい質問ですね。『そ』は、感動詞で掛け声です（感動詞と板書）。飛ぶようにしようと誰かに言っているのです。英語ではレッツ（Let's）ですね」
授業者「では、『風、風、吹くな』は誰が誰に言っていますか」
GO君「詩人が風に言っている」
授業者「そうでしょうね」
授業者「では、『シャボン玉飛ばそ』は誰が誰に言っているのですか」
KO君「子どもと詩人がシャボン玉に」
授業者が「①子ども詩人↓シャボン玉」と板書。
SOさん「詩人が子どもに」
授業者が「②詩人↓子ども」と板書。
GOさん「子どもが風に」
授業者が「③子ども↓風」と板書。

ＩＮさんとＷＯ君が「わからない」

授業者が「④わからない」と板書。

ＫＯ１君「わたしも③です」

授業者「これで全員の考えが出ましたか。イチ、ニイ、サン……」

数えていると、ＫＯさんがニヤニヤしている。

授業者「ＫＯさん、まだですね」

（ＫＯさんは、先立つ２回の詩の授業でも、この局面で『わからない』という考えを示していた。間違うことを恐れているのかもしれないと、授業者は思った）

すると、ニヤニヤしていたＫＯさんが、「詩人が詩人に言っている」と発言する。

授業者は　・詩人↓詩人　と板書。

45分が経過。ここで中休みを取る。

休み時間に入って５分後ぐらいに、

ＫＯさん「先生、詩人の子どもが死んでいます」

授業者「ネットで見つけたの？」

ＫＯさん「はい」

授業者「……。この詩に子どもが死んだと書いていますか」

ＫＯさんがすこし考えている。

KOさん「書いていません」。
授業者「じゃ、このことはあとで考えてみましょうね」
授業者「では、授業再開です」
授業者「『シャボン玉飛ばそ』は誰が誰に言っているかについて、いろいろ考えが出ました」
授業者「わたしの考えはこうですよ」と、つぎのように板書する。
「詩人→赤ちゃん幼児」
学生たちが読んでいる。何のことか考えている様子。
授業者「では、考えていきましょう」
授業者「①（子ども詩人→シャボン玉）ですね、KO君、どうしてですか」
KO君「シャボン玉で遊んでいるから、たくさん飛ばしたい……」
授業者「そうですね。可能性がありますね。たくさん飛んだ方が楽しいですよね」
授業者「『②詩人→子ども』は、SOさんの考えですね。理由は？」
SOさん「子どもたちがシャボン玉で遊んでいる。それを見ている詩人が、子どもたちに、もっと飛ばそうと言っている……」
授業者「これも可能性ありますね」
授業者「『③子どもが風に言っている』の考えのGOさん、どうしてですか」
GOさん「わたしは、楽しいほうの考えでした。シャボン玉が遠くまで飛んで欲しいからです。子どもの考えです」

GOさんは、休み時間中のKOさんの発言（詩人の子どもが死んでいる）が気になっているのだろう。
授業者「いろいろな考えがあっていいと思いますよ。そうすると、①②③はよく似た考えですね」
学生たち「はい」
授業者「詩人↓詩人という考えのKOさん。理由は？」
KOさん「詩人が自分に言っている」
授業者「何を言っているのですか」
KOさん「希望を……」
授業者「どんな希望ですか」
KOさん「（シャボン玉が）飛んで欲しい……」
授業者「シャボン玉が飛んで欲しいと言う希望ですね」
KOさん「はい」
授業者「ところで、『産まれる』は普通、どう使いますか」
KOさん「子どもが産まれる」
授業者「そうですね。シャボン玉が産まれるって、すこし変わってますね。こういう表現方法は何と言いましたか」
SOさん「擬人法」
授業者「では、この詩にでてくる『消えた』を擬人法で言うと、どうなりますか」
学生たちが少し考えている。

ＫＯさん「死ぬ」
授業者「そうですね。死ぬですね。では、この詩の『消えた』を『死ぬ』に置き替えて読んでみます」
　授業者がつぎのように読む。

シャボン玉飛んだ
屋根まで飛んだ屋根まで飛んで
こわれて死んだ
シャボン玉死んだ
飛ばずに死んだ
産まれてすぐに
こわれて死んだ
風、風、吹くな
シャボン玉飛ばそ

授業者「すごい詩になりますね」
学生たち「はい」
授業者「誰が死んだと思いますか」
ＫＯ君「詩人の子ども」

ＳＯさん「（詩人とは関係のない）ふつうの子ども」
授業者「そうすると『シャボン玉飛ばそ』はどういう意味になりますか」
ＫＯさん「長く生きて……」
授業者「長く生きてという希望ですか。さきほどは、シャボン玉に飛んで欲しいと言う希望でしたね。考えが変わりましたか」
ＫＯさん「はい。そうです」
授業者「この詩は鎮魂歌かもしれませんね（「鎮魂歌」と板書する）」
授業者「鎮魂とは何ですか」
ＫＯ1君「死んだ人の魂を……」
授業者「死んだ人の魂を鎮めるのですね（「鎮める」と板書する）」
ＫＯ1君「はい」
授業者「私の考えは、いかがですか」
ＫＯ君「いいと思います」（ＫＯ君の目が潤んでいる。あくびをしのか……どうかわからない）
授業者「なにか意見はありますか」
学生たち「……」「ありません」
授業者「いろいろな考えがありますが、どれが正しいかはよくわかりません。いろいろあっていいと思います」
授業者「では朗読をしましょう。暗唱できますか」

ＩＮさんとＳＯさん「たぶんできる」と言う。

ＫＯ君「これは歌ですか」

授業者「そうですよ。詩はリズムがあるでしょう。あとで歌いましょうか……」

さて、ＩＮさん、つづいてＳＯさんが朗読してくれた。

少し時間があるので歌を歌うことにする。用意してきた「シャボン玉」の歌（歌詞と映像付き）をパソコンで流す。全員で何度か歌う。

授業者「誰か歌ってくれますか」

学生たちを見渡すと、ＫＯ君がこちらを見ている。

授業者「ＫＯ君、歌ってみますか」

ＫＯ君「はい」

授業者「ＩＮさん、一緒に歌ってみて」（ＩＮさんはＫＯ君の隣席に座っている）

ＫＯ君とＩＮさんが歌う。その間、ＳＯさん、ＷＡ君、ＫＯさんが頭をすこし左右に振りながらリズムをとっている。歌い終わったＫＯ君とＩＮさんの両目が赤くなっている。ひっとすると、この二人は、この詩にずいぶんと共感したのかもしれない。

横山芳春さま

你好！　教材が分かりやすい（漢字、語彙の意味、詩の背景）と面白い授業になりますね。P62で、授業者「では『シャボン玉飛ばそ』は誰が誰に言っているのですか」は教材の核という認識が生んだ発問になっています。

そして①～⑤の考えが出てきたのは、これまでにない好展開です。一番授業らしい授業になったのでしょう。おめでとうございます。

しかもKOくんが作者が生まれたばかりの子を亡くしているという事実から「詩人が詩人に」説を出すというおまけ（?）までついています。授業者がこの説にすぐ乗らないで「あとで」と受けているのも原則通りですが、よかったと思います。

しかし、中国にあっても、野口雨情の子ども夭折説がネットで把握されるというのはすごいですね。この学級の授業記録を何回か拝見しましたので、KOくんとかSOさんとか、なんだか顔見知りのような気がしてきました。再見。

横須賀　薫

与謝蕪村「青梅に眉あつめたる美人かな」の授業

火鍋通信100号（2017年6月12日）

青梅に眉あつめたる美人かな　　与謝蕪村

継続教育学院で、俳句を使い授業を実施。学生は8人。6月12日である。授業時間は45分。なお、授業に先だって、中国の美人について雑談を学生とする。学生たちが中国四大美人の名前をあげてくれた。

授業者が蕪村の俳句を板書。学生たちが書き写している。書写がおわったら、音読をするようにと指示。学生たちが読んでいる。

授業者「Cさん、音読してください」

Cさんが音読している。「眉」を「まゆげ」と読んでいる。

つづいてCHOさんが音読。彼女も「まゆげ」と読んでいる。

授業者「『眉』は『まゆげ』と読みますか」

すかさずSOさんが、「まゆ」と発言している。

授業者「そうですね。『まゆ』と読みますね」

授業者「WO君、音読してみて」

WO君が、音読。「眉」を「まゆ」と読んでいる。

授業者「何が見えますか」
WO君「美人」
授業者「美人ですね」
　KO君がWO君のうしろから、「WO君は美人しか見えない」と冗談を言っている。
授業者「ほかに何が見えますか」
KO君「青梅。食べるもの……」
CHOさん「眉」
KO君「濃い眉」
SOさん「細い眉」
R君「男」
授業者「青梅の季節はいつですか」
KO君「夏です」
授業者「SOさん、細い眉って言ってましたが、どうしてですか」
SOさん「細い眉をつくっている」
授業者「眉をつくっているとは、化粧をしているということですか」
SOさん「そうです。美人が化粧している……」
授業者「それはおもしろいですね。あとで考えていきましょう」
　教材にたいして、学生たちの反応がいい。

授業者「『あつめる』はゴミをあつめるとか、そういうあつめるですね（授業者がゴミをあつめる仕草をする）」

Cさんが反応。「あつめる……」と言っている。

授業者「この俳句では、何をあつめたのですか」
Cさん「青梅をあつめた」
CHOさん「眉をあつめた」
授業者「誰が眉をあつめたのですか」
CHOさん「美人があつめた」
授業者「美人が眉をあつめたのですね」
CHOさん「そうです」
授業者「ここは、美人が眉をあつめています」
授業者「SOさん、眉をあつめるとは、どういう動作ですか」
SOさん「化粧をして眉をつくること……」
授業者「美人の眉は細いのですね」
SOさん「そうです」

こういうやり取りをしていると、KOくんが眉をひそめる動作をしている。

授業者「KO君、どうしましたか」
KO君「眉をあつめるです」

授業者「KO君の考えでは、眉をあつめるとは、眉を寄せるということですね」(授業者も眉を寄せる動作をする)

授業者「さあ、どっちでしょうか。『化粧をして眉をつくる』か『眉を寄せる』か」(学生たちが興味深々な顔つきになってきた)

授業者「ところで、青梅を食べる、とさっきKO君が言ってましたね。青梅を食べるとどんな味ですか」

R君「すっぱい!」

授業者「すっぱいときは、顔はどうなりますか」

CHOさん「(眉をひそめながら)眉をあつめる」

授業者「すっぱいものを食べると、思わず眉をあつめますね。この俳句も、眉を寄せたということでしょう」

授業者「ところで、『あつめたる』の『たる』は『ている』という意味です。『あつめている』という意味です。『美人かな』の『かな』は感動を表しています。『美人だな!』『美しいな……』という意味ですね」

授業者「さて、この美人は、実際に青梅を食べたのですか、食べていないのですか、どっちですか。まわりのひとと話し合ってもいいですよ」(学生たちが結構活発に話し合っている)

しばらくして、

授業者「どっちですか」

ＳＯさん「食べていない」
ＣＨＯさん「どっちでもいい」
ＫＯ君「食べた」
授業者「他の人達は、どうですか（ひとりひとり確認していく）」
その結果、
①食べていない↓ＳＯさん、ＧＯ君、Ｒ君の３人。
②どっちでもいい↓ＣＨＯさん、ＷＯ君の２人。
③食べた↓ＫＯ君、ＩＮさん、Ｃさんの３人。

授業者「考えが分かれましたね。これから、理由、根拠を訊きますよ。まわりと話し合ってもいいですよ」
学生たちが、しばらく話し合っている。
授業者「ＳＯさん、根拠は？」
ＳＯさん「直感です」
授業者「直感、いいですよ。俳句を読んだ直感ですね」
授業者「ＧＯさん、根拠は？」
ＧＯさん「考え中です」
授業者「Ｒ君、根拠は何ですか」

R君「男の思い（想い）を言っている。美人はいなくて……」
授業者「思っていることを俳句にしたのですか……美人はいないのですか」
　SOさんが横から「想像です」と発言してくる。
　授業者が「想像」と板書。
授業者「そうすると、美人は梅の木のところにはいないんですね」
『美人はいない』と板書。
R君「美人がいると想像して……その美人がすっぱいと感じた……」
授業者「それはすごいですね。美人が青梅を見たら、すっぱいと感じて眉をあつめただろう、という俳句を作ったのですね」
　R君がほほ笑みながら「そうです」という。
授業者「KO君、食べたという根拠は？」
KO君「この俳句では、口あたりの表現をしていない……」
授業者「食べていないから、口あたり（口元？）の表現をしていない？？？」
授業者「どういうこと？」
KO君「口のことを書いていてない」
授業者「Cさんは？」
Cさん「『眉をあつめている』だから、食べている状態です……」
INさん「考え中です」

授業者「ＣＨＯさん、どっちでもいいという考えですね。根拠は何ですか」
ＣＨＯさん「直感です」
授業者「では、整理しましょう。

①食べていない場合は、
「もし美人がいたら、梅の木になっている青梅を見て、すっぱいと感じて眉をあつめただろうな……なんて美しいんだろろう」

②食べている場合は、こうですね。
「青梅を食べた美人が、『ああ、すっぱい』と眉をあつめた。なんて美しいんだろう」
授業者「どっちだと思いますか。青梅を食べましたか、食べていませんか」
もう一度、①②③のどの考えかを訊いてみた。結果は最初と同じであった。
授業者「どちらかは、わかりませんね。俳句には明確に書かれていませんね。読んだ人が、思い思いに味わえばいいですね」
授業者「では、朗読してもらいましょう。Ｒ君、お願いします。美人を想像しながら……」
Ｒ君が暗唱。
授業者「食べたというＩＮさん、お願いします」
ＩＮさん暗唱。
授業者「授業はこれで終わりですが、もう少しお話しましょう」
授業者「さて、俳句のなかのこの美人ですが、中国人の誰かを思い出しませんか」

学生たち「……」
授業者「中国の美人で……」
Cさん「楊貴妃（なんとなく楊貴妃というような中国を発音している）」
授業者「楊貴妃ですか。日本で一番有名な中国美人ですね。なぜですか」
Cさん「楊貴妃は皇帝にお願いして、果物を運ばせるために川（運河？）をつくらせた……そして果物を……」
授業者「それはすごいですね。青梅も運ばせたのですか」
Cさん「果物ですから……と思います」
KO君「西施（そういう中国語の発音をしている）」
授業者「西施ですか。どうして」
KO君「……」
授業者「日本に『西施捧心（せいしほうしん）』という言葉がありますよ。中国にもありますか」
KO君「あります」
授業者「どういう意味ですか」
Cさん「西施が悩んでいて心をかかえた」Cさんは今日、発言がおおい。
授業者「西施は心臓の病気だったんですね。それで、心をよくかかえた。眉はどうしました」
Cさん「あつめている」
　学生たちが、にわかに活気づいてくる。ひそひそとまわりとしゃべりだしている。

授業者「こういう俳句もあります」
　つぎの俳句を板書する。

象潟(さきかた)や　雨に西施が　ねぶの花

松尾芭蕉

授業者「潟の意味は、『遠浅の海で、潮が引けば隠れ、ひけば現れる所。ひがた。塩湖』です」

この俳句の意味は、こうですといい、板書する。

「象潟に咲く、梅雨に濡れた合歓の花は西施が眠るように美しい」


授業者「日本で一番有名な俳人である松尾芭蕉が西施のことを詠んでいるのです」

　学生たちの表情が変わる。

　授業に遅れてきたＫ２君が「松尾芭蕉のこと知ってます」といっている。

授業者「与謝蕪村は松尾芭蕉のことをとても尊敬していました。芭蕉は蕪村の俳句の先生ですよ」

　学士たちの表情がさらに変化する。

授業者「先生である芭蕉が西施のことを俳句にしている。だから蕪村も真似をして、西施のことを俳句にした。西施を想像しながら『青梅に眉をあつめて美人かな』の俳句をつくった。西施が青梅を見たら、きっと眉をあつめただろうな……西施はなんて美しいだろう……これは想像ですが、可能性はあるでしょう？」

　学生たちが頷いている。

授業者「芭蕉も蕪村も江戸時代の人間です。３００年ほど前の人達です。日本と中国の文化交流（文化交流と板書する）がとても興味深いですね」

　学生たちがふたたび頷いている。

授業者「では、これで終わりです」

横山芳春さま

你好！　今回の授業は、なかなか良い出来です。何がよいのか。「展開の契機」が学生自身の発言から生まれているからです。授業の「展開」は野球の展開と同じで、どうしたって進んでいくものです。その契機は、野球では投手の投球と打者の打撃、そして守備陣の守備の相互関係から生まれます。だから野球でも授業でも「展開」が生じること自体はあたりまえで、問題はよい「展開」が起こるか、どうかです。野球では観客から見て面白いとか、感動的になるか、つまらない試合になるか、ということです。

授業の「展開の契機」（斎藤喜博の命名）も授業者の発言と学生生徒の発言との相互関係のなかから生まれます。「授業はいつでも生身の人間である教師の意志によって進行され展開されていく。しかも直接には、教師の発問とか、問い返しとか、反問とか、うながしとか、説明とかという教師の言葉によってすすめられていく。もちろんときには、言葉に出さない表情とか小さな身ぶりとかによって授業がすすむ場合もあるが、これも一つの発問と考えてもよい。」（斎藤『授業の展開』P152）

教師側からの言葉は、学ぶ側の思考、感情などを喚起し、引き出すのが目的で、授業の「進行」をつくること自体が目的ではありません。それで学ぶ側からの発言が次の展開の「契機」に生きていくかどうかが重要になります。そのように学ぶ側の発言が授業展開の「契機」になると授業として面白く、深みが出てくるのです。教師の発問に学生が一つ答え、教師が正解と判断すると次の問いを出す、その羅列でも授業は「進行」しますが、深くならないのです。

Ｐ74最後の「ＳＯさん、眉をあつめるとは、どういう動作ですか」からＰ75「さて、この美人は、実際に青梅を食べたのですか、……」までは学生側から展開の契機になる発言があり、教師はそれを取り上げ、授業の展開に生かしているのです。参考にしてください。再見。

横須賀　薫

草野心平「おれも眠ろう」の授業

火鍋通信１０５号（２０１７年９月29日）

おれも眠ろう

草野　心平

るるり。
　　りりり。
るるり。
　　りりり。
るるり。
　　りりり。
るるり。
るるり。
　　りりり。
るるり。
るるり。
るるり。
　　りりり。
――――

授業者が教材を板書しはじめる。学生たちがノートに写し始める。もう横書きにしている学生はいない。句点「。」を書いていない学生が意外とおおい。それに、「------」も書いていない学生が数人いる。

授業者「音読してください」

学生たちが音読を始める。クスクス笑いながら音読をしている。音の響きや同じ音の繰り返しがおかしいようだ。

授業者「Rさん、音読してください」

Rさんが声を出して笑いながら音読をする。

授業者「T君、音読してください」

T君が音読。「る」を鼻音化しながら発音している。

授業者「Yさん、音読してください」

Yさんが音読。「るるり」をときどき「るるら」と言っている。

この詩は「る」と「り」だけで作られているので、どの学生もスムーズに読むことができている（もちろん多少の問題はあるが……）。授業に少し遅れ気味のK君も、音読をうまくやっていたので指名する。K君は、いつもよりリラックスした表情で、音読をやってくれた。

授業者「上手に音読できました」「では暗記してください」

学生たちは、別段、難儀そうな顔はしない。

学生たちがめいめい練習を始める。３分ほどして、

授業者「F君、暗唱してください」

F君が、上手に暗唱する。学生たちから拍手が起こる。

授業者「いいですね」「Tさん、暗唱して」

Tさんがこれも流ちょうに暗唱してくれる。

授業者「何が見えますか」と発問する。「何が見えますか」とも板書する。この発問は、初級クラスの学生たちにはじめて行うもの。当然、すこしキョトンとしている。

授業者が「景色」「風景」と板書する。

授業者「この詩を読んでどんな風景が見えますか」

学生たちが考えている。発問の意味がわかった学生と、そうではない学生がいることだろう。

授業者「Sさん、何が見えますか」

Sさん「……」

授業者「Rさん、何が見えますか」

Rさん「歌」

授業者「歌が聞こえるのですね」

D君「ひらがな……」

授業者「ひらがなが見えますね」

Rさん「虫」
授業者「虫が見えますか」
Rさん「草」
授業者「草と虫が見えるのですね」
Sさん「家」
Cさん「ベッド」
授業者「ベッドが見えるの」
Cさん「寝ている……」
授業者「何が寝ているの」
Cさん「ネコ」
Rさん「雨が降っている」
　Rさんの発言が多くなっている。映像が浮かんでいるようだ。
授業者「草の上に雨が降っていて、そこに虫がいる」
Rさん「はい」
　突然、S君が「鳴き声」と発言する。Rさんの考えに触発されたようだ。
授業者「何が鳴いていますか」
S君「セミ」
D君「熊」

だれかが「男」と発言。

授業者「男（オス？）ですか。どうして」

Sさん「うるさいから」

授業者「男はうるさいね……」

授業者「生き物が鳴いているのですね」

「生き物」と板書する。学生たちが何か安心したそぶりを見せる。

授業者「何匹、鳴いていますか」「何匹いますか」

学生たちが考えだしている。となりの学生とさかんに話している学生もいる。

授業者「隣の人と話し合ってもいいですよ」

学生たちが元気に話し合っている。もちろん中国語で。

すこしして、

授業者「何匹いますか」

Rさん「たくさん」

K君「6匹」

D君「熊が2匹」

Cさん「ネコが8匹」

K君「5匹」

K君は6匹から5匹に言い換えている。何かに気づいたようだ。K君がのってきた。ほかの学生たちも生き生きしている。

授業者「いろいろでてきました」「他の人はどうですか」

どの考えに同意しているのか挙手をしてもらう。その結果はつぎのとおり。

Rさん「たくさん」……1人

K君「6匹」………0人

D君「熊が2匹」……1人

Cさん「ネコが8匹」……0人

K君「5匹」………5人

授業者「あと7人は？」「わからない？」

わからない…………7人。

7人と書くと、笑いが起こる。

授業者「Rさん、たくさんですね。どうして？」

Rさん「虫（だから）……」

Rさんは、虫がたくさんで鳴いているところを想像している。

授業者「D君、熊が2匹。どうして」

D君「……」

D君はニコニコしている。説明のための日本語が出てこない。熊も面白いし、2匹というところも興味深いのだが……。

授業者「Cさん、ネコ8匹は？」
Cさん「わからない」
授業者「K君、5匹はどうして」

K君がすぐに前に出てきて、「るるり　りりり」で1匹、つぎの「るるり　りりり」で1匹、「るるり　りりり」で1匹、「るるり　るるり　りりり」で1匹、「るるり　るるり　るるり　りりり」で1匹。だから合計5匹と板書で説明する。ほかの学生たちが感心したように溜息がでている。

大半の学生たちが、K君の考えに同意したようである。

（K君の考え）四角で囲んだ部分が1匹。だから5匹となる。

るるり。 りりり。

るるり。 りりり。

るるり。 りりり。

るるり。 るるり。 りりり。

るるり。

るるり。

るるり。

りりり。


授業者「5匹ですか」

　学生たちのほとんどが頷いている。

授業者「先生は違いますよ」

　学生たちがびっくりしたような顔をしている。

Rさんが、「エッー」とはっきり言っている。

　授業者が、「りりり」の文字の前が2コマ空白であることを学生たちに気づかせる。板書につぎのように□を入れる。学生たちが真剣な表情で見ている。つぎに、A、Bを記入する。

A　るるり。
B　□□りりり。
A　るるり。
B　□□りりり。

A　るるり。
B　□□りりり。
A　るるり。
A　るるり。
B　□□りりり。
A　るるり。
A　るるり。
A　るるり。
B　□□りりり。
　　□□……

授業者「AとBがいます。AとBが鳴いています。（だから）2匹です。どうですか」
　学生たちが溜息をもらしている。納得しているようだ。
ここで「熊が2匹」と発言してたD君に、考えを求めたいところだが、D君は日本語で答えられないことがはっきりしている。D君を困らせるだけだ。
授業者「『……』は何ですか」
　RさんとHさんが話し合っている。なにか言いたそうである。
授業者「Rさん、Hさん、どうしました」

　ＲんとＨさんが笑っている。
授業者が「……」の上部にＡＢと書き加える。
　学生たちから、声が上がる。

　Ａ　るるり。
　Ａ　るるり。
　Ａ　るるり。
　Ｂ　□□りりり。
　ＡＢ　□□　……

授業者「『……』はＡが鳴いているの、Ｂが鳴いているの」
Ｔ君「Ａ」
　授業者が「……」の上部が２コマ空白であることを指さすと、すぐにＴ君が「Ｂ」と言い直す。
授業者「『……』は何ですか」
　学生たち考えている。集中力は途切れていない。
Ｒさん「りりり」
授業者「『りりり』って書いていないよ。これは省略です」
　「省略」と板書する。
授業者「何も鳴いていない」
Ｒさん「死んだ」

授業者「死んだ？　りりりが死んだ？」
　学生たちが一斉に笑う。
　いつも自信のなさげなROさんが、「寝た」とささやいている。
授業者「ROさん、すごいね！　寝たんだね」「どこでわかったの」
Rさん「……」
　授業者がタイトル「おれも眠ろう」を指さす。
　学生たちが一斉に微かな歓声をあげるのがわかる。
授業者「どうして寝たの？」
学生たち「……」
　授業者が朗読する。「りりり」のところを眠いように音読する。
授業者「どうして寝たの？」
　学生の誰か数人が、「ドンミアン？」のようなことを言っている。
　授業者は、これは冬眠と言っているのだと判断する。
　授業者が「冬眠」と板書をする。
授業者「冬眠ですね」
　学生たちが、そうだそうだというようなことを言っている。
授業者「何が冬眠しているの」
Sさん「へび」

授業者「へびは鳴きません」
Cさん「リス？」
授業者「ほかは？」
D君「熊」
授業者「熊が『るるりりり』？」「どうかな？」
Rさん「カエル」
　学生の誰かが「ケロケロ」と言っている。以前の授業で擬声語の勉強をしている。そのとき、カエルは「ケロケロ」と教えていた。
授業者「この詩人は、カエルの鳴き声を『るるり』『りりり』と聞いたんだね。カエルですね」
　学生たちが「そうか！」というような表情になっている。
授業者「カエルが冬眠していくのですね」
授業者「最後です。『るるり』は男ですか女ですか」
「男?･女?･」と板書する。
　授業者がタイトルを指さす。
授業者「『おれ』は中国語では男女で使うね。日本語は男だけです」
「中国語おれ↓男女。日本語おれ↓男」と板書。
授業者「も」は何ですか。
　学生たちが一斉に、中国語で何か言っている。授業者は意味がわからない。

授業者「『も』は中国語で『也』ですね」
　也と板書する。
　学生たちが頷いている。
授業者「男ですか、女ですか」
D君「男」
Sさん「りりりは？」
授業者「『りりり』は？」
　Kさんがすぐに「彼女」と発言。
授業者「そうでしょうね……」
　ここで、授業終了時間となる。休憩してつぎの時間に朗読を試みる。

　休憩終わり。

授業者「音読です」「K君がるるり、ROさんがりりり」

K君とROさんが音読をする。「りりり」の眠くなっていく様子がでていない。

授業者「今度は、D君が『るるり』、Sさんが『りりり』。『りりり』は眠くなっていきます」

　Sさんが、徐々に眠くなっていくように音読ができている。

授業者「今度は、『るるり』がうるさく、『りりり』が眠くなる。S君とRさん」

D君が、「るるり、るるり」とうるさく音読し、「りりり」を目覚めさせるように表現、Rさんがそれでも眠くなっていくように音読してくれた。

授業終了。

（備考）

9月29日、初級クラスで草野心平の詩を教材に授業をしました。初級クラスのほとんどの学生たちは、9月の初めから日本語の勉強を始めました。そろそろ心平の詩も授業の工夫で、楽しんだり理解をしたりできるのではと考えました。今回の参加者は、14人です。

横山芳春さま

你好！　授業再開、おめでとうございます。

日本語初歩、というより初心の学生たちが草野心平の、ある意味では難解な詩を見事に読み解いたことに驚き、喝采しています。新学年授業の滑り出し好調で何よりです。

まあ、それで十分ですが、授業論に関わる形の問題を一点指摘させてもらいます。私はこの詩の核をどこに見るかと考えて、二場所考えました。一つは「おれも」で、もう一つは最後の「―」です。「おれも」は当然「おれ」は誰か、性別、ふうたい、などが問われ、「も」は誰に対してか、が問題になります。この入り方は理屈ぽくなりますがオーソドックスでしょう。授業らしくなります。この授業のように後半、学生自身が気づくまで置いておく、というのもよいでしょうが、出てこなかったときはどうするのか、と言うのが課題になります。

今回は絶妙なタイミングでしたが、これは意図した結果か、怪我の功名か、それはどうでもよいのですが、前者「おれも」から入ると追及的と言うメリットと理屈っぽくなると言うデメリットがあります。今回の授業はほんわり（ほんわか？）として、楽しそうでした。再見。

横須賀　薫

まど・みちお「やぎさんゆうびん」の授業

火鍋通信１１１号（２０１７年12月１日）

やぎさん　ゆうびん　　　　まど・みちお

しろやぎさんから　おてがみ　ついた
くろやぎさんたら　よまずに　たべた
しかたがないので　おてがみ　かいた
さっきの　おてがみ
ごようじ　なあに

くろやぎさんから　おてがみ　ついた
しろやぎさんたら　よまずに　たべた
しかたがないので　おてがみ　かいた
さっきの　おてがみ
ごようじ　なあに

授業者がパワーポイントで、山羊の写真を見せる。

授業者「山羊です」
学生たち「はーい」

授業者「重慶に山羊はいますか」
学生たち「いない」
授業者「どこにいますか」
学生たち「チベットにいる」
授業者「チベットにはおもしろいお茶がありますよ」
　学生たちがわかるよ……というような顔をしている。興味を示している。
授業者「バター茶です。（バター茶づくりの道具を描きながら）こうやってゴボッツゴボッツと作るんですよ。おいしいですよ」
　学生たちが興味津々。
授業者「ところで、山羊の印象は？」（「印象」と板書する）
YANさん「強い。怖い」
授業者「日本とちがうね……日本ではおとなしい」
RYUさん「おとなしい？」
授業者「やさしい」
授業者「それと、少し間が抜けている」
　「間が抜けている」と板書。
学生たち「？」

授業者「ちょっと馬鹿」
「馬鹿」と板書する。
学生たち「(中国でも）馬鹿」
授業者「どうして馬鹿なの？」
ＹＡＮさん「見た感じが……」
授業者「日本では紙を食べる」
学生たちが不思議そうな顔をしている。
授業者「中国の山羊は紙を食べないの……」
学生たち「食べない」
授業者「何を食べるの」
学生たち「草」
授業者「紙は草植物から作っている。だから食べるんでしょう」
学生たちが、そうか……という表情をしている。
授業者は紙を食べる山羊の写真を学生たちに見せる。
授業者が、詩の第一連を板書する。学生たちが写し始める。
ＲＹＵさんなど数人の学生が音読しながら書写している。
授業者「写し終わったら読んでください」
学生たちが音読する。音読はさほど難しくないようだ。

授業者「ＲＯさん、音読してください」

ＲＯさん音読。「しかたがないので」の部分だけが少し読みづらそう。

授業者「ＴＥ君、音読してください」

ＴＥ君、音読。ニコニコしながら音読している。

授業者「わからない単語を調べてくださいね。スマホを使ってもいいですよ」

学生たちが、わからない単語を調べだす。

ＹＡＮさんとＳＨＯさんが、「郵便局？」と囁いている。

学生たちがわからない単語のヨコに線を引き、中国語を書き入れている。

授業者が学生たちの様子を見て回る。

ＲＹＵさんが、「たら」のヨコに線を描いている。授業者がＲＹＵさんに、『たら』の意味は？」と訊く。ＲＹＵさんは「ＩＦ（もし）」と答える。

しばらくして、授業者は、質疑しながらわからない言葉を確認していく。確認していった言葉は、「ゆうびん」「しろ」「くろ」「てがみ」「つく」「よむ」「よまず」「たべる」「しかたがない」「かく」「さっき」「なあに」である。

とくに「しかたがない」のところはこうであった。

授業者「しかたがない？」

学生たちが一斉に「メイヨウバンファ」のようなことを言っている。

授業者「それでしょうね。メイファズーですね」

学生たちが一斉に笑いだす。

授業者「たらは何ですか」

ＬＩさん「ＩＦです」

授業者「イフ、もしも……違いますね。これは『は』と同じです」（たらのヨコに朱書きで『は』と記入）

授業者「くろやぎさんは　よまずに　たべた。『たら』には、軽いオドロキ非難の気持ちがあります」

（驚き非難と板書する）

授業者「では、みんなで音読しましょう」

学士たちが大きな声で音読する。

授業者が、つぎの部分を音読する。

しろやぎさんから　おてがみ　ついた

くろやぎさんたら　よまずに　たべた

授業者「手紙をもらった黒山羊さんは、どうしましたか」

（このように発問して、授業者はなにか違和感を感じる。後記参照）

ＦＯＮさん「読まずに食べた」

授業者「そうですね」

授業者「読まずに食べた。それからどうしましたか」

SHUさん「手紙を書いた」
授業者「手紙に何を書きましたか」
YANさん「ご用事はなに」
授業者「『さっきの　おてがみ　ごようじ　なあに』と書いたのですね」
（授業者は、板書の『さっきの　おてがみ　ごようじ　なあに』の部分を朱色の線で囲む）
授業者「なにが『しかたがない』のですか」
RYUさん「手紙を食べた」
授業者「手紙を食べてしまった、その事がしかたがないのですね」
RYUさん「はい」
　授業者はつぎのように板書する。
①手紙を食べた
授業者「他は？」
学生たち「……」
授業者「手紙を読まずに食べたら、何が困りますか」
DEN君「（手紙の）内容がわからない」
授業者「そうですよね。内容がわからない。用事がわからない。だから、しかたがない」
　授業者はつぎのように板書する。
②内容がわからない

授業者「他にないですか」
学生たちが考えている。
授業者がつぎのように板書。
③食いしん坊
授業者は、ここでSHOさんとYANさんがしきりにひそひそ話をしているのに気づく。
ふたりは、この詩にとても興味があるようだ。なにかを発見したようだ。
授業者「SHOさん、YANさん、どうしましたか」
SHOさんとYANさん「白山羊さんは郵便局です」
授業者「白山羊さんは郵便局の人ということ？」
SHOさんとYANさん「はい」
授業者「SHOさんとYANさんの考えは違うと思う人はいますか」
授業者「DEN君どうですか」
DEN君「違う」
他に、FON君、FONさん、RYUさんも違うという考えだ。
授業者「では、SHOさんとRYUさんと違うという理由を言ってください」
DEN君が手をあげている。
授業者「DEN君、どうぞ」
DEN君「黒山羊さんは、しかたがないのでお手紙書いた」

授業者「DEN君、黒山羊さんはだれにお手紙を書いたの？」
DEN君「白山羊さん（に書いた）」
授業者「黒山羊さんが白山羊さんにお手紙を書いた、のですね。だから、白山羊さんは、郵便局の人ではない、ということですね」
DEN君「はい」

授業者とDEN君の会話を聴いているSHOさんとYANさんの表情が輝いている。

授業者「SHOさんYANさん、白山羊さんは郵便局の人ではないですね。いいですか？」
SHOさんとYANさん「はい」（このふたりは完全に同意した、疑問が解けたという表情をしている）

ここで休憩。休憩中に授業者は第二連を板書する。

授業再開。

授業者「この詩には第二連があります。一緒に音読しましょう」

学生たちと授業者が第一連から音読する。

授業者「第二連で、手紙をもらった白山羊さんは、どうしましたか」
LIさん「『読まずに食べた』」
授業者「『読まずに食べた』それから白山羊さんはどうしましたか」
TE君「手紙を書いた」
授業者「しかたがないから、手紙を書きました」

ＴＥ君「はい」
授業者「だれに手紙を書きましたか」
ＴＥ君「黒山羊さんに」
授業者「手紙に何を書きましたか」
ＦＯＮ君「さっきの　おてがみ　ごようじ　なあに」
授業者「その通りですね」
授業者「第三連はありませんが、手紙をもらった黒山羊さんは、どうしますか」
ＦＯＮ君「読まずに食べる」
授業者「それから……」
ＹＡＮさん「手紙を書く」
授業者「それから」
ＳＨＯさん「ずっと……」
（学生たちが、この詩のユーモアを理解したようで、みんなニコニコしている。意見がドンドン出てくる）
授業者「続いていきますね」
ＲＹＵさん「回る！」
授業者「ＲＹＵさん、いいね」
ＲＹＵさんがほほ笑む。
授業者「第一連から第二連、第二連から第一連、それから同じ繰り返し。回ります！」

ＹＡＮさん「永遠に……」
ＲＹＵさん「永遠って何？」
ＳＨＵさん「FUTURE」
授業者「ずっと続くこと。フューチャー未来までずっと続くこと」
ＲＹＵさん「おー」ＲＹＵさん納得。
授業者「それでは、いつまで手紙は続きますか」
ＤＥＮ君「永遠」
ＴＯさん「また会える日まで」
ＳＨＵさん「疲れるまで」
ＲＹＵさん（ニヤッと微笑みながら）「死ぬまで」
ＬＩさん（電話で話すしぐさをしながら）「電話をかけるまで」
ＳＨＯさん「郵便局に行って会うまで（手紙を出しに行った白山羊と黒山羊がバッタリと出くわすまで？）」
ＴＩＮさん「お腹がいっぱいになるまで」
ＹＡＮさん「紙がなくなるまで」
ＦＯＮさん「眠るまで」
ＳＨＯさん「お金が無くなるまで（切手が買えなくなるまで）」
（学生たちに次から次へとイメージが湧いている）
授業者「では、最後の問いです。二番目からのお手紙には、『さっきの　おてがみ　ごようじ　なあに』

と書いてあります。最初の手紙、一番目の手紙には、何と書いてあったと思いますか」

しばらくして、

RYUさん「手紙を食べないで」

YANさん「何も書いていない」

授業者「おもしろいね……」

授業者「どうして、何も書いてないの？」

RYUさんが、「プレゼント？」と割り込んでくる。

授業者「プレゼントですか。食べてくださいと……」

YANさん「はい」

授業者「他には」

SHOさん「いっしょに遊ぼう」

DENさん「いっしょに草たべよう」

SHOさんYANさん「大好き。結婚しよう」（この二人は楽しそうに相談しながら考えている）

FONさん「どうして（わたしが）白い山羊で、（君が）黒い山羊？」

TE君が、「みんな想像……」と囁いている。

授業者「TE君、想像ですよ。どのように想像できるか、訊いているのですよ。おもしろいね」

LINさん「電話してね……」

授業者「たくさんでてきましたね。おもしろいです。ではここまでにしましょう」

授業者「朗読しましょう。山羊さんの気持ちになって朗読しましょう。すこし練習してください」
　学生たちがめいめい朗読をしている。
授業者「では、SHUさん、お願いします」
　SHUさんは、手紙の部分を地の部分と変化をつけて朗読。楽しそうである。
授業者「SHUさんの『さっきの　おてがみ　ごようじ　なあに』のところよかったですね。本当に訊いているようでした」
授業者「今度は、歌っているように朗読してください。YANさんどうですか」
　YANさんが考えながら（工夫をしながら）、リズミカルに朗読。他の学生たちもしっかりと聴いている。
授業者「この詩の歌もあります。今日は時間がないので、つぎいっしょに歌ってみましょう。ではこれで終わります」

（記録後に考えたことなど）
授業後にその違和感が何であったのかがわかる。それは、「（この詩を読んで）何が見えますか」という第一発問であった。詩の世界へ学生たちを招待していく最初の問いである。学生たちはこの発問によって、詩のイメージを広げていくのである。その重要な発問を忘れていたので、違和感を覚えたのである。この教材を使った前回の授業（火鍋通信75）にたいして横須賀薫先生からつぎのような批評をいただきました。

①日本人の場合には幼児から山羊という動物に対するイメージが、おとなしいけど少し間が抜けている、紙を食べる、というふうに出来ています。この詩は、そういうイメージを前提にして成立しています。ユーモア詩としてすぐ理解されます。

しかし、中国人はその点どうなのでしょう。授業ではこの点についてまったく触れていないし、確認もしていません。いきなり事実確認に入っています。これではこの詩の面白さがまったく伝わらないのではないでしょうか。

②今回のことはなかなか面白い問題を教えてくれていると思いました。「山羊の事実」はともかく、日本での山羊のイメージと中国でのそれとは大きく違うということ、それが一つの詩の読解に深くかかわる、ということです。

日本のイメージはどうして形成されたのでしょうか？　それはまどみちおさんの詩以前からなのか、この詩によってつくられたものなのか、面白い問題だと思いました。

横山芳春さま

你好！　晴天で、少し暖かめの仙台です。このところ天候が安定して暮らしやすくなっています。さて、火鍋通信111号の授業記録を拝見しました。この教材の2度目の授業ですが、記録の終わりに前回の私の批評が添えられているのでもう言うことはないのですが、別のこと1点書いておきます。

私は（いつものように）届いた授業記録の冒頭の詩（教材）を読んで、授業の記録を読む前に、自分がこの教材で授業するとしたらどの言葉（の追及）を核にするか、決めてから記録を読むようにしています。

今回は2行目の「たら」に印をつけました。P105で学生が「たら」に疑問をもったところがあり、授業者が意味を問うと「IFだ」と答え、P106でこれが取り上げられます。そして授業者は「は」と同じだとして、「軽いオドロキ非難の気持ちがあります。」としています。

これは間違いないのですが、授業としては私は大魚を逸したと思いました。学生がIFととったのは助動詞「た」の仮定形「逃げていたら助かったのに」の「たら」で、詩の中の「たら」は助詞の「たら」で、これには係助詞と終助詞があります。前者が「あの店ったら、サービスが悪いんだから」、後者は「あなたったら返事くらいしてよ」の「たら」です。前者が「軽い非難軽蔑、または親しみの気持ちを込めて話題を提示する」の意になり、後者は強めて言っている場合です。

としたら、この詩で「軽い非難軽蔑、または親しみの気持ちを込めて話題を提示する」のは誰でしょう、という問題が生まれます。「しろやぎさん」でしょうか、それだと2連目に「しろやぎさんたら」が出てくるのと矛盾します。

「まどみちお」さんでしょうか。だとすれば、なぜ詩人は山羊に対して「軽侮を込めた親しみ気持ち」を持つのでしょうか。という展開が起こるのです。

これは大事だと思い、また面白いと思うのですが、いかが？　再見。

横須賀　薫

山村暮鳥「りんご」の授業

火鍋通信112号（2017年12月9日）

りんご　　山村暮鳥

両手をどんなに
大きく大きく
ひろげても
かかへきれないこの気持
林檎が一つ
日あたりにころがつてゐる

授業者が詩を板書。学生たちが書写。
授業者「TE君、読んでください。漢字がわからない（読めない）……」
授業者「いいですよ。なになに、と読んでください」
TE君が音読する。「両手」と「林檎」と「日」が読めない。まわりの学生たちが。「りょうて」「りんご」「ひ」と教えている。
授業者「全員で音読しましょう」
学生たちが音読する。音読は難しくないようだ。
授業者「りんごは何ですか」

学生たち「くだもの」
授業者「両手は」
　学生たちが、両手を広げている。
授業者「それですね」
授業者「『どんなに』は、どれくらい、どれほど、です」
授業者「『かかえる』は？」
学生たち「わからない」
　授業者がDEN君のデイバックを抱える。
授業者「これですよ」
学生たち「はい」
授業者「『かかえきれない』は、かかえることができない」
　授業者が、DEN君のバックとTE君のバックを抱える。それらが落ちそうになる……
授業者「これが、『かかえきれない』ですよ」
授業者「気持は何ですか」
　SHUさんが、自分の心を指している。
授業者「SHUさん、それですね」授業者が自分の心を指さして、「気持」と言う。
授業者「林檎はりんごですね」
TOさん「わからない。中国語にその字ははない……」

授業者「そうですか……りんごと同じですよ」
ＴＯさん「わかりました」
授業者「日あたりは、こうですね」
　授業者は、太陽を描き、太陽光線を描き、日がさしている図を描く。
　学生たちがうなづいている。
授業者「ころがっているは、こうです」
　授業者が、マーカーを机の上に転がす。
授業者「これですよ」
　学生たちが、キョトンとしている。
　授業者は、林檎が転がっているような図を描く。「これです」
　学生たちが、わかったようである。
授業者「単語はわかりましたか」
ＹＡＮさん「『かかえきれない』がわからない」
授業者「そうですか。ＳＨＵ君、前に出てきて」
　ＳＨＵ君は小太りである。ＳＨＵ君、授業者が抱(かか)えようとするが、抱えられない動作をやって見せる。
授業者「抱えるのが難しい、困難だ、という意味です」
ＹＡＮさん「わかりました」
授業者「では、もう一度、みんなで音読しましょう」

学生たちが、さきほどより大きな声で音読する。
授業者「何が見えますか」
学生たち「りんご」
LIさん「太陽」
学生たち「詩人」
LIさん「両手」
RYUさん「りんごの木」
RYUさんLIさん「太陽の光」
SHOさん「大きいりんご」
授業者「りんごは何個、見えますか」
SHUさん「たくさん」
SHOさん「3個」
授業者「SHOさん、3個はどうして？」
SHOさん「……」
RYUさん「大きいりんごが1個と木にたくさんある」
授業者「季節はいつですか」
RYUさん「秋」
授業者「どうして秋ですか」

ＳＨＯさん「果物……」
授業者「果物がたくさんあるのが秋、ということですか」
ＳＨＯさん「はい」
授業者「場所はどこですか」
ＲＹＵさん「りんごの木のあるところ」
授業者「りんご畑ですか」
　りんご畑と板書する。
ＲＹＵさん「はい」
ＳＨＯさん「森」
ＦＯＮ君「山の上」
ＬＩさん「庭」
　学生たちはここまで、意見がドンドン出ている。
授業者「時間なので、休憩しましょう」

　休憩が終わって。
授業者「もう一度、音読しましょう」
　学生たちが音読する。読みがしっかりしてきている。
授業者「この詩はふたつに分けることができます。どこですか」

ＳＨＵさん「林檎がひとつ、の前です」
授業者「ＳＨＵさん、すごいですね。そこですね」
授業者は、１行目から４行目（林檎が一つの前まで）を線で囲む。５行目と６行目も線で囲む。
授業者「（二つの部分をそれぞれ指さしながら）二つの違いはなんですか」
学生たちが考えている。
ＲＹＵさんとＳＨＵさん「気持」
授業者「誰の気持ちですか」
ＲＹＵさんとＳＨＵさん「詩人……」
授業者「詩人の気持ちですね」
授業者「では、こっちは？（５行目６行目を指さしながら）」
ＳＨＵさん「林檎がある……」
授業者「林檎がある、林檎がころがっている……という事実ですね」
「事実」と板書する。授業者は次図を完成させる。

両手をどんなに
大きく大きく
ひろげても

かかへきれないこの気持
林檎が一つ
日あたりにころがつてゐる

授業者「『大きく』を2回かいているのはどうしてですか」
YANさん「もっと大きい」
授業者「強調ですね」
YANさん「はい」
授業者「詩人は両手で何をかかえているのですか」
DEN君「詩人はりんごを両手でたくさん持っている」
TE君「りんご」
RYUさん「違う」
授業者「RYUさん、何が違うのですか」
RYUさん「りんごじゃない」
授業者「では、何ですか」
RYUさん「……わからないけど、違う」
授業者「かかえきれないこの気持ち、と書いてますよ」
RYUさん「気持?……」

授業者「この気持ちを、詩人はかかえているのでは……」
　学生たちが真剣に聴いている。
授業者「もう一度、訊きますよ。詩人が抱えているのは何ですか」
　①たくさんのりんご……ＤＥＮ君、ＴＥ君
　②詩人の気持ち……他全員（13人）
授業者「詩人の気持としましょう。この場合、どのような気持ちをかかえているのですか」
ＳＨＯさんＹＡＮさん「びっくりした」
授業者「何にびっくりしたのですか」
ＳＨＯさんＹＡＮさん「大きいりんごだから……」
ＳＨＵさん「違う。大きいりんごじゃない……」
ＦＯＮ君「考えが大きい」
授業者「どのような考えですか。楽しい考えですか？」
ＳＨＯさん「楽しい。恋人と幸せな生活……」
授業者「理由は何ですか」
ＳＨＯさん「……」
授業者「ＦＯＮ君が『考えがおおきい』と言いました。どんな考えですか」
ＴＯさん「悲しい……」
授業者「すごいね。悲しいんですか……」

今日の授業はいつもと違ってきている。学生たちが、とても静かに考えている……そのような雰囲気になっている。

ＴＩＮさん「生活」
授業者「生活が悲しいの？」
ＴＩＮさん「はい」
ＳＨＵさん「仕事」
ＦＯＮ君「欲しいものがたくさんある……」
ＬＩさん「子ども」
授業者「子ども？　どうしたの」
ＬＩさん「うるさい。めんどくさい」
授業者「生活や仕事のことで、悲しいことをかかえているのですね」
ＴＯさん「前（1行目〜4行目）は、悲しい。後（5行目6行目）は、楽しい」
授業者「ＴＩＮさんは？」
ＴＩＮさん「ＴＯさんと同じ」
授業者「どうして後は楽しいのですか」
ＴＥ君「日あたり……」
授業者「日あたり、だからですか。明るいから……」
ＴＥ君「そうそう……」

TE君がニコニコしている。
授業者「ここはあとで考えましょう」
授業者「では、みんなの考えを訊いてみましょう。それぞれ手を挙げてください」
①楽しい……4人
②悲しい……0人
③前段悲しい、後段楽しい……11人
授業者「②はゼロですね。それじゃ、先生は②の考えにしましょう！」

学生の間からざわめきが起こる。

SHOさんYANさんSHUさん「どうして！」とびっくりしたような声をだす。

授業者「それでは、かかえる、という単語ことばの意味を調べてください。かかえるは、楽しい意味ですか？」

学生たちが辞書やスマホで調べだす。

しばらくして、
RYUさんが「悪い意味……」といいながら、授業者にスマホを見せている。

RYUさん「ふたつ意味がある。腕で持つと、負担がある……」

続いて、SHOさんも「負担……」と言っている。

授業者「よく見つけました。そのとおりです。かかえるには、負担や不安をもたらすものを持っている、と言う意味があります」

授業者は、「病人を―える」「借金を―える」「難問を―える」と板書する。

授業者「ここ（1行目から4行目）は、詩人は、かかえきれない負担や不安をもっている、と言う意味ですね。生活や家族の問題や仕事の負担がある。そういった負担不安をかかえることができない……と言っているのですね」

学生たち「はい」

授業者が、つぎの部分を読む。

林檎が一つ
日あたりにころがつてゐる

授業者「こっち（5行目から6行目）の『林檎』は、別の単語ことばに替えることができます。何でしょうか。考えてください」

学生たちが考え始める。

しばらくして、

TE君「人生」

授業者「人生がころがっている。すごいですね。誰の人生ですか」

TE君「……詩人……」

授業者「詩人の人生がころがっている。詩人がころがっている……と考えてもいいですね」

RYUさん「将来……よくない人生」
授業者「詩人の将来がよくない、ということですか」
RYUさん「はい」
　学生たちの発表が盛んになってくる。
FON君「家族の命」
授業者「家族の誰かが病気で、心配しているのかな……」
　これまで自分から意見を言うことがなかったTINさんが、授業者を見て手を挙げている。
授業者「TINさん」
TINさん「生活の希望……暗い」
授業者「生活に希望が持てない……不安である、ということかな」
TINさん「はい」
　TINさんは、真剣な顔をしている。この詩に共感するところがあるのだろう。
授業者「五行目から六行目は、不安を抱えた詩人が、日あたりにころがっている……ということですね」
　学生たちが、じっと聴いている。
授業者「ここは、みんなは楽しい感じなんですね」
授業者「先生はこう考えました。詩人は、日あたりに転がっている林檎を見て思った。私は、非常に多くの苦労や不安や悲しみをかかえている。貧乏とか病気とか仕事とか……それらは、解決できない。そんな不幸な私が、日あたりにひとりで孤独に寝転がっている」

授業者「もちろん、他の考えがあってもいいのですよ」
　学生たちが、とても静かに聴いている。
　学生たちが納得しているようだ。
授業者「では、最後に朗読をしてもらいましょう」
授業者「詩人は誰にこの詩を詠んでいますか」
ＲＹＵさん「りんごに……」
ＳＨＯさん「自分に……」
授業者「ＴＩＮさん、朗読してください。ＴＩＮさんは誰に向かって詠みますか」
ＴＩＮさん「自分に」
授業者「それでは、お願いします」

　ＴＩＮさんが、とても静かに朗読する。

　林檎が一つ
日あたりにころがつてゐる

のまえで一呼吸おき、静かに詠み終えた。

横山芳春さま

你好！　昨日は家に居ながら完全休養しました。少々、ＰＣ疲れした気がしたので、一日離れました。それで授業記録拝読するのが遅れました。気分転換ですのでご心配なく。

さて、授業は難しい教材を選んだな、というのが第一の直観でした。

①事実よりも気持ちが中心になっている

②追及する核がみえにくい、という理由です。

記録を読んでこの直観は当たりました。授業者はこの詩を誤読しました。そしてそれで授業を引っ張ってしまったので学生たちに誤読を強いてしまいました。

Ｐ１２９の「私が日あたりにひとりで孤独に寝転がっている」は完全に誤読です。「日あたりにころがっている」のは「詩人＝作者」ではなく、「林檎一つ」です。どういう転がり方をしたかはわかりませんが、「日あたりの中」だということしかわかりません。誤読の因は詩の４行目「この」を見落としたことです。

私は記録を読む前に、自分ならどの言葉を核にするか考えて「この」に印をつけました。これで授業者の誤読の原因も説明がつきます。

そしてわかりやすそうに見える「詩」（詩だけに限りませんが）のもっている怖さもおわかりと思います。学生たちはよくついいてきてくれたと思いますし、「日本語」の勉強としてはそれなりに出来ているのが救いでしょう。日曜日を楽しく、ゆっくりお過ごしください。再見。

横須賀　薫

横山芳春さま「りんご」授業批評②

私の考えを書きましょう。授業記録P5（横山注。省略）の図は同意です。（うまく整理されていると思います。）その先で授業者は「詩人は両手で何をかかえているのですか」と発問します。これが駄目、間違いに基づいているのです。「かかえて」ではないのです。「かかえきれない（ほど）」の「気持」なのです。ですからRYUさんはそのことに気づいているのです。

しかし、それは「どんな」気持なのかわからないのです。ただ「この」と言っているからには「私の」であることは間違いないのです。そこからは想像するしかない領域です。だからRYUさんは答えられないわけです。

そこから先、『ふと見れば（たとえば）庭先のむしろの上に赤い林檎が日をあびてころがっているではないか。（これが私の想像です）その姿はまったく悩みなどない充たされたものにみえる。それに比べれば（悩みなんか抱えて）うじうじしている自分などなんとちっぽけな存在なんだろう』これが私の解釈です。

横山解釈でもどちらでもよいのです。教師は（はっきりした間違いでないかぎり）多様な解釈をもっていることが、多様な解釈をもつ子どもたちと対峙し、交流をはかっていけるのです。

前回に気づいて書こうと思いながらやめておいたことがあります。それは最近の横山老師の授業は教師中心で、強引にみえます。対象が大人で、しかも中国人だということが関係しているかと思いますが、でも授業展開の原則は変わりません。

教師は自分は多様な解釈をあらかじめ用意して、対象となる学習者群から出てくるものを生かしつつ、教材の本質に迫っていくものです。教師の解釈に引っ張り込んでいくものではありません。せかくの機会を無駄にしないためにぜひ再考してみてください。再見。

横須賀　薫

伊藤左千夫「おりたちて今朝の寒さを……」の授業

火鍋通信１１５号（２０１７年12月30日）

おりたちて今朝の寒さを驚きぬ露しとしとと柿の落葉深く　伊藤左千夫

授業者が教材の短歌を板書する。学生たちが書写。

授業者「書き終えた人は、読んでください」

TE君「漢字がわからない……（読み方がわからない……）」

授業者が、「今朝」と「露」の横に読み方を書く。他の漢字は、学生たちのなかに読める者がいた。それを学生全員で共有する。

授業者「では、TE君、音読してください」

TE君、音読する。TE君は、「り」を「に」と読んでいる。TE君はラ行をナ行で発声する。彼の近くの学生RYUさんとFONさんが、しきりに「りー」「りー」と教えている。TE君は、この間違いにすぐに気づき修正を試みる。しだいに「に」から「り」の発音に治っていく。

授業者「FON君、読んでください」

FON君、音読。彼は、「おりたちて」を「ありたちて」と読んでいる。すぐに周辺の学生が教えている。

授業者「全員で、読みましょう」

学生たちは、授業者が想像していたよりも調子よく音読している。この短歌の持つよさが影響しているのだろうか。

授業者「わからない単語を調べてください」

学生たちが、スマホや小辞典で調べだす。

ＲＹＵさんとＦＯＮさんが、一緒に調べている。ふたりで相談しあっている。何かわかったみたいで楽しそうである。

しばらくして、

授業者「『おりたつ』は『降り立つ』ですね」。

「降り立つ」と板書する。授業者は、教壇から降りる動作をする。

学生たち「はーい」

授業者「『今朝』は？」

学生たち「今日の朝」

授業者「『寒い』は？」

学生たち「わかります」

授業者「『驚く』は？」

学生たち「びっくりする」

授業者「そのとおりですね」

授業者「『驚きぬ』は？」

ＲＹＵさん「驚かない……」

授業者「ＬＩさんは？」
ＬＩさん「驚かない」
ＳＨＯさん「驚かない」
授業者「『ぬ』には、二つの意味があります。①否定、②完了です。ここでは②の意味です。だから、驚いてしまった、ということ」

授業者、右の「①否定　②完了」を板書する。

ＦＯＮさん「完了？」
授業者「完了は中国語で『是』かな？」
学生たち「わかりました」
授業者「『露』は？」
Ｋ君（聴講生）「水です」
ＳＨＵさん「水」

授業者が学生のスマホをのぞき込むと、露は「水」とでている。

授業者がＴＥ君が教室に持ち込んでいるオレンジジュースの容器を持ち上げて、その容器の周りを触っている。あいにく水滴はついていないが……。

ＲＹＵさん「わかった！」

授業者が、コップの絵を描く。そのコップに水滴を描く。

授業者「露はこれですよ」

学生たちが口々に「わかりました」
授業者「『しとしとと』は？」
DEN君「水が流れる……」
授業者「これは、①雨などが静かに降る　②ひどく濡れている、の意味があります」
授業者は、①と②を板書する。
授業者「『柿』は何ですか」
SHOさん「フルーツ」
授業者「重慶に柿の木は、ありますか」
RYUさん「ないです」
授業者「近くのスーパーに柿を売ってますよ」
RYUさん「柿の木はない……」
授業者「たしかに、重慶で柿の木は見たことはないですね……」

授業者「『落ち葉』は？」
学生たち「木の……葉……」
授業者「木の葉が落ちたもの……」
学生たち「はい」
授業者「『深い』は？」

ＦＯＮ君「（両手を上下に広げながら）深い……」
授業者「それですね。上から下まで距離が長い……」
　図を描いて説明する。
授業者「わからない単語はほかにないですか」
学生たち「ないです」
授業者「では、もう一度音読しましょう」
　学生たちと授業者が音読する。
授業者「（教材を指しながら）ここから何が見えますか」
ＲＹＵさん「秋」
ＦＯＮさん「露」
ＴＥ君「落ち葉」
ＤＥＮ君「柿の木」
ＴＥ君「かなしい、さみしい気分」
ＲＹＵさん「えー、どうして？」
授業者「これは、あとで（ＴＥ君に）訊いてみましょう」
授業者「ほかには何が見えますか」
ＲＹＵさん「黄色」
授業者「ほかに見えるものは？」

学生たち「……」
授業者「誰が『降り立った』のですか」
ＴＥ君「詩人」
ＳＨＵさん「落ち葉」
ＤＥＮ君「露」
授業者「寒さを驚いたのは誰ですか」
　学生たちが一斉に「詩人」。
授業者「詩人が今朝の寒さをとても驚いたということですね」
学生たち「はーい」
授業者「降り立ったのは詩人でしょうね。露や落ち葉は立ちませんから……」
授業者「詩人が降り立って、今朝がとっても寒いことにずいぶん驚いたのでしょうね……」
学生たち「はい」
　学生たちが理解した模様。
授業者「ところで、詩人はどこからどこに降り立ったのですか」
ＦＯＮさん「家から外へ」
ＦＯＮ君「家から庭へ」
授業者「ＦＯＮ君、柿の木はどこにあるの？」
ＦＯＮ君「……詩人の庭に（ある）……」

授業者「季節はいつですか」
RYUさん「秋」
授業者「どうして？」
RYUさん「落ち葉……」
　TE君がニコニコしている。
授業者「TE君は？」
TE君「秋……」
授業者「どうして？」
TE君「落ち葉深い……」
RYUさん「晩秋……冬の初め」
　授業者が晩秋、初冬と板書する。
授業者「晩秋から初冬ですね」
RYUさん「はい」
TE君「晩秋……」
授業者「それと露は秋ですね。露は冬には霜になります」。授業者は、「霜」と板書。
授業者「霜はリーベイ（李白）の詩にでてきますね。李白の有名な詩にでてきますね」
　授業者は、「霜」の横に「李白の詩」と板書。学生たちが、そうそうという顔をしている。
　授業者が範読。

露しとしとと柿の落葉深く

授業者「何が『深く』なのですか」
　授業者が、「深く」の横に「何が？」と板書する。
授業者「落ち葉がたくさんある、重なっているということですか」
RYUさん「落ち葉が深い……」
授業者「そうです」
RYUさん「ほかに、ありますか」
授業者「……」
学生たち「『露しとしとと』はどういうこと（状態ですか）」
授業者「（露が）流れている……」
SHUさん「落ち葉の上に流れている、それで落ち葉が濡れているということかな……」
授業者「はい」
SHUさん「だいたい意味はわかりましたね」
授業者「はい」
学生たち「では、もう一度音読しましょう」
授業者
　学生たちが音読する。音読がよくなってきている。

授業者「さっき、ＴＥ君が、（この詩は）さびしいかなしい気分と言いました。ＴＥ君、どうしてそう考えたの？」
ＴＥ君「（この詩の中に）落ち葉、深く、露、寒さ、驚き、がある」
授業者「こういう単語ことばが、かなしいさびしいと思わせるのですね」
ＴＥ君「はい」
授業者「ＴＥ君の考えと同じ人は？」
　ＦＯＮ君、ＳＨＵさん、ＳＨＯさん、ＴＩＮさん、ＬＩさん、ＲＯさんがＴＥ君と同じ考えだとわかる。
授業者「ＴＥ君の考えとはちがう人は？　この詩はかなしいさびしい気分ですか」
ＲＹＵさん「かなしい」
授業者「かなしいさびしいですか」
ＲＹＵさん「かなしいけど、さびしくない！」
授業者「これは、おもしろいね」
授業者「どうして、さびしくないのですか」
ＲＹＵさん「木（の葉）、花が……なくなっていく、死んでいく……自然が死んでいく……動物も冬眠して……だから、かなしい」
　ＲＹＵさんの横でＦＯＮさんが頷いている。
授業者「なるほど。さびしくはないの？」

ＲＹＵさん「人と自然は一緒だから（人は自然の一部だから？）……寂しくない」
授業者「そうですか。すごいですね」
授業者「ＲＹＵさんと同じ考えの人は？」
　ＦＯＮさんが手を挙げる。
授業者「他には？」
ＤＥＮ君「心が静か……」
授業者「新しい考えが出ました。ＤＥＮ君、どうして」
ＤＥＮ君「この人は、いつも忙しい、仕事が忙しい、家でこの景色をみて、心が静かになる……」
授業者「ＤＥＮ君、ありがとう」
　ＤＥＮ君だけがこの意見である。
授業者「他には、Ｋ君はどうですか」
Ｋ君「うれしい」
授業者「これは、かなしい、さびしいとは反対のものがでてきました」
授業者「Ｋ君、理由は？」
Ｋ君「葉が落ちて、生まれ変わる……春がくる……だから、たのしい」
　ＲＹＵさんがすぐに反発。
ＲＹＵさん「えー……」
授業者「ＲＹＵさん、Ｋ君に言ってください（反論してください）」

ＲＹＵさん「秋だよ。これから冬が来るよ。春は遠いよ！」
授業者「Ｋ君、ＲＹＵさんが反対しているよ。どうですか」
Ｋ君「たのしいでいいです」
　Ｋ君が笑っている。Ｋ君の考えと同じ人はいない。
なお、ＳＨＵ君は、わからないという考え。
授業者「おもしろいことになりました。いろいろな考えが出てきておもしろいですね。いろいろな考えがあっていいと思います」
授業者「では朗読して、終わりましょうか」
　授業者は、学生たちに、自分の考えを朗読で表現するように指示。少しの時間、練習してもらう。
そのご、Ｋ君、ＤＥＮ君、ＦＯＮさん、ＴＥ君に朗読してもらって、授業終了。

横山芳春さま

你好！　短歌の授業の記録、ありがとうございました。

①授業中の学生の様子がよくわかり、とても好感が持てます。「それを学生全員で共有する。」「……と教えている。」「すぐに周辺の学生が教えている。」「ふたりで相談しあっている。」などは学習を緊張したり、競争意識でとらえないで楽しいものととらえていることを表しています。一般の中国の大学の雰囲気と違うものを作りだしているように思います。

②「しとしと」は、擬態語を教える好機会ではないですか、「じとじと」と比べたりすれば記憶に残ったでしょう。

③P142で李白が出てきますが、ここらへんで日本の短歌（和歌）との類比もしてほしかったです。

④その意味では伊藤左千夫についてもう少し触れてもよかったのではないですか？「野菊の花」の原作者ということなど教えてやってもよかったかと思います。（映画「野菊の墓」が中国の若い人たちに知られているということを前提に）

⑤全体にいつもの授業手法をなぞっていることに少々不満を感じます。教材の性格の違いに応じて授業も変化する必要がありますね。授業の満足度を高くしてやることはとても大事なことですから、その観点からさまざまに変化してみるのも大切かと思います。

⑥別のことですが、この短歌を私は「今朝の寒さを」のところは「今朝の寒さに」と記憶しています。今手元で調べることができないので断言できないのですが、「寒さを」ではやや強く、硬い感じがし

ますが、「寒さに」ではそっと置くような柔らかさがあります。原短歌ではどうでしょうか。意味的には相違ないのですが、これから何かの機会に授業記録を公表したりすると間違いを指摘され不快になるでしょうから確かめておいてください。

以上、気づいたことを箇条書きしました。薄曇りで、このところでは比較的暖かい大晦日です。お元気で。再見。

横須賀　薫

横山芳春さま

「寒さを」と「寒さに」の件も原詩がそうなら仕方ないですね。授業で扱う問題ではないと思います。

お元気でよいお正月を。再見。

北原白秋「からたちの花」の授業

火鍋通信118号

からたちの花　　北原白秋

からたちの花が咲いたよ。
白い白い花が咲いたよ。

からたちのとげはいたいよ。
青い青い針のとげだよ。

からたちは畑の垣根よ。
いつもいつもとほる道だよ。

からたちも秋はみのるよ。
まろいまろい金のたまだよ。

からたちのそばで泣いたよ。
みんなみんなやさしかつたよ。

からたちの花が咲いたよ。
白い白い花が咲いたよ。

授業者が詩を板書し始める。学生たちが書写を始める。いち早く映し終えたT君が小声で音読を始めている。

授業者「写し終えたら、音読してください」
学生たちがめいめい音読している。
授業者「T君、音読してください」
T君、音読。「針」のところを「きん」、「畑」「垣根」のところを「ナニナニ」と読んでいる。
授業者「T君、ありがとう。すらすら読めましたね」
授業者「SHOさん、読んでください」
SHOさんが音読。「針」「畑」「垣根」を「ナニナニ」と読んでいる。
授業者「SHOさん、ありがとう。上手に読めました」
授業者「この詩を読んで、何が見えますか」
学生たち「白い花」「からたち」「秋」（YANさん）、「春」（SHOさん）、「青いとげ」（TINさん）、「金のたま」「詩人」「垣根」
授業者「たくさん見えましたね」
授業者「では、第一連から読んでいきます」

授業者が第一連からゆっくり音読していく。
授業者「『からたち』は何ですか」
学生「……」
授業者「『とげ』は何ですか」
学生「……」
授業者「『棘』と書きます」
「棘」と板書する。
学生たち「わかりました」
TINさんが、指で自分の手を突き刺す真似をしている。
授業者「TINさん、それです。棘ですね」
授業者が第三連を音読。
授業者「『畑』は『はた』と読みます」
「はた」とルビをふる。
TOUさん「花をつくるところ」
授業者「そうですね。花や野菜をつくるところですね」
授業者「『垣根』は『かきね』と読みます。何でしょうか」
学生たち「……」
授業者「では、写真を見せましょう」

授業者「からたちの花です」
授業者「棘です」
授業者「垣根です」
授業者「からたちは、中国語では『枸橘』『枳』と書きます。わかりますか」
YANさん「みかんです」
授業者「そう、みかんに似てますね」
授業者「『とほる』は『とおる』と読みます。道をとおる、ですね」
SHUさん「歩く……」
授業者「道を歩く、とおる、ですね」
　授業者が第四連を音読。
授業者「『まろい』は『円い』です。『みのる』は実る、です」実ると板書する。
授業者「『金のたま』は何ですか」
SHUさん「実……」
授業者「実ですね。円い金色、黄色の実ですね」
　授業者は、用意していた写真を学生に見せるのを忘れる。見せていたら、理解がもっと深まって
いたことだろう。
授業者「ここで、もう一度、音読しましょう」

学生全員が音読。

授業者「ところで季節はいつですか」

YANさん「秋です」

SHUさん「春です」

TE君「夏」

授業者「YANさん、どうして秋なんですか」

YANさん「実……」

授業者「実ができているからですか」

YANさん「はい」

授業者「秋だと思う人は手をあげて……」

学生の7人が挙手する。

授業者「TE君、夏という理由は……」

夏はTE君ひとり。

TE君「……」

授業者「SHUさん、春の理由は……」

春はSHUさんがひとり。

SHUさん「花が咲いているから。実はない……」

授業者「そうですね。実は秋に、これから未来にできると言っているのではないですか」

学生たちが考えている。

授業者「花が咲いていて、同時に実もなっているのですか」
REIさん「ちがう。花と実はちがう」
授業者「花と実は同時に、いっしょには出来ないですね」
学生たち「春です……」
授業者「春ですね」学生たちが納得した顔をしている。

授業者「第一連は、春ですね。事実を言っているのですね。事実（ということば）わかりますか」
学生たち「わかります」
授業者「第二連から第四連までも春で、事実ですね」
学生たち「はい」

授業者が第五連を音読。

からたちのそばで泣いたよ。
みんなみんなやさしかったよ。

授業者「『そば』は横ですね」
授業者は垣根を描き、その横に「そば」と書く。

授業者「だれが泣いているのですか」
ＳＨＵさん「詩人」
授業者「詩人……語り手ですね」
　詩人語り手と板書する。
授業者「いつ、泣いたのですか。泣いているのは今ですか」
学生「昔」
授業者「昔ですね。この第五連だけが過去のことですね」
学生たち「はい」
授業者「なぜ泣いたのだと思いますか」
ＳＨＵさん「棘が手に刺さった」
ＲＥＩさんＳＨＯさん「昔、花が咲かないとき」
ＤＥＮ君「感動して……」
授業者「ＤＥＮ君、なにに感動したの」
ＤＥＮ君「やさしいに……」
授業者「なにがやさしいのですか」
ＤＥＮ君「……」
ＴＩＮさん「花と自分がいっしょに大きくなるので……」
授業者「ＴＩＮさん、いいですね。いっしょに成長していくことに感動したのかな……」

TINさんがほほ笑んでいる。
SHUさん「悲しいときに（泣いた）」
授業者「語り手には悲しいことがたくさんあったのかな……」
REIさん「うれしいとき」
授業者「うれし涙かな……」
TE君「両親が死んだとき」
授業者「とても悲しかったんだね」
授業者「『みんなみんなやさしかったよ』、みんなみんな、とは誰ですか、何ですか」
YANさん「からたちの花」
授業者「悲しいとき、からたちの花が慰めてくれた、やさしかった、やさしく咲いていた、ということかな……」
YANさん「そうです」
TINさん「春。春の風……」
授業者「春の暖かい風がやさしかったということですか」
TINさん「そうです」
授業者「ほかにないですか」
学生たち「……」
授業者「人、人間がやさしかった、と思う人はいませんか……」

学生たち「……」
YANさん「ない」
授業者「いないようですね」
授業者「では、どうしてからたちの垣根のそばで泣いたのですか」
学生たち「……」
DEN君「静かだから……見られないように……」
授業者「DEN君、すごいね！」
授業者「人に見られないように、垣根に隠れて泣いたんだね」
学生たちが、DEN君に感心している。
授業者「でも、もう一度、音読しましょう」
DEN君、うれしそうである。
学生と授業者が音読する。
授業者「語り手が泣いたのは昔でした、過去の事でした。では、現在、語り手はどのような人になっていますか。まだ、泣いていますか」
学生たちが考えている……。
SHUさん「大人になった」①
TOUさん「もう泣かない……」②
REIさん「心の強い人になった」③

授業者「どうして」
REIさん「泣いているところを見せないでいたから」
TINさん「心のやさしい人になった」④
YANさん「感性の人になった。花好き」⑤
授業者「YANさん、感性の人？」
YANさん「他の人のやさしさを感じられる……」
授業者「感受性の強い人かな」
「感受性」と板書する。
授業者「ほかの考えはないですか」
学生たち「……」
授業者「先生はもうひとつありますよ。立派な人になった」
「立派」と板書する。
授業者「立派はわかりますか」
学生たち「えらい人……」
ここで、全員の考えを確認する。
①SHUさん。
②TOUさん。
③REIさん。TE君。DEN君。SHUさん。SHUさんの5人。

④ＴＩＮさん。ＳＨＵ君の２人。
⑤ＹＡＮさん。ＴＩＮさん。ＤＥＮ君。ＴＥ君。
⑥ＳＨＵさん。ＳＨＯさん。ＴＩＮさん。授業者の４人。
事前にひとりで複数回答可能とは言わなかったが、複数回答者が自然にあらわれた。
授業者が次の連を音読する。

からたちも秋はみのるよ。
まろいまろい金のたまだよ。

授業者「何が実るのでしたか」
ＲＥＩさん「実です」
授業者「そうですね、実がみのりますね」
授業者が次のように板書する。

からたちも秋はみのるよ。
からたちは秋はみのるよ。

授業者「ＲＥＩさん、この二つの文の違いは何ですか」

ＲＥＩさん「も……」
授業者「も、がどうしました」
ＲＥＩさん「『も』のほうは他にも実る……」
授業者「他に何が実りますか」
ＲＥＩさん「植物……」
授業者「たとえば……」
ＳＨＵさん「りんご」
授業者「そうですね、秋にはりんごがみのりますね」
ＹＡＮさん「みかん」
ＲＥＩさん「米」
授業者「米もみのります」
ＹＡＮさん「いちご」
授業者「いちごは春では……」
ＹＡＮさん「秋にもみのる……」
授業者「そうですか……」
授業者「りんごや米などがみのりますね。果物や植物以外にみのるものはありますか」
ＴＥ君「人がみのる」

すぐに、ＴＯＵさんが「誰？」
授業者「ＴＥ君、ＴＯＵさんが誰が実ると訊いてますよ」
ＳＨＵさん「詩人」
授業者「すごいですね。詩人がみのる。語り手がみのる」
授業者「詩人、語り手がみのるとは、どういうことですか」
ＲＥＩさん「心が強くなる」
ＴＥ君「実力がみのる」
授業者「実力がみのって、立派な人になる……」
ＴＥ君「成功する……」
授業者「語り手は垣根のそばで、昔よく泣いていたけど、今は成功して立派になった……どうですか？」
ＴＥ君「完璧！」
授業者「昔、垣根のそばでよく泣いていた詩人、語り手は大人になって成功し立派な人になったという考えですね。これも一つの考えですね」
授業者「今日は、休み時間をとらずに授業をしました。よく頑張りました。朗読の練習をして終わりましょう。そのまえにひとつだけ」
授業者「第一連は現在事実でしたね。最後の第六連は一連とおなじ文ですが、同じことを言っているんですか」
ＳＨＵさん「ちがう。希望。思い出した。思い出……」

授業者「すごいね。思い出なんですね。昔を思い出して感動しているんでしょうね」

学生たちがほほ笑んでいる。

最後に、すこしの時間、めいめいで朗読の練習をしてもらい、ＲＥＩさんとＳＨＵさんに朗読してもらい授業終了。なお、このふたりの朗読にたいして、学友たちから心のこもった静かな拍手があった。

横山芳春さま

おはようございます。3月31日、4月1、2日は横浜、東京にいましたので、火鍋118号に接するのが遅くなり、お返事が今日になりました。新学年が始まり、新しい実践が開始になったこと何よりです。拝読しての感想を送ります。

①7人の学生たちは横山老師の詩の授業の継続生とのこと、実に的確に教材に反応し、把握していること、うれしいことです。②主人公（作者＝詩人でも、そうでなくてもよい）の今と回想の把握もまず的確です。③「この詩を読んで何が見えますか」は発問としてよいと思いますが、そろそろ「この詩を読んでどう感じますか」も使えるようにしてはどうかと思います。「からたちの花」では、そっちの方がもしかすると有効かもしれません。④5連の取り上げ方よいと思います。ここがこの詩の（白秋の）目玉ですから、このくらい丁寧に扱ってよいと思います。⑤幼児から少年少女の時代を学生自身の体験に応じさせればもう少しリアルになったかもしれませんが、深入りしないのも手でしょう。⑥日本人の子どもだと文字の詩に接する前にメロディーの方が先になっていると思いますが、中国の学生たちに「からたちの花」の歌唱に接しさせるのも一興かと思います。もし覚えて歌えるようになったら卒業して日本に留学したら絶対人気者になるでしょう。再見。

横須賀　薫

若山牧水「白鳥はかなしからずや……」の授業

火鍋通信124号（2018年6月20日）

白鳥は　かなしからずや　空の青
　海のあをにも　染まずただよう　　若山牧水

　授業者が板書。学生たちが書写。
授業者「書き写した人から音読してください」
　学生たちが音読している。
授業者「もうすこし大きな声で音読してくださいね」
授業者「ＴＯさん、音読してください」
　ＴＯさんは、「白鳥」を「しらとり」、「染まず」を「そまず」と正しく読んでいる。
授業者「ＴＥ君、覚えたみたいだね。見ないで音読してみて」
　ＴＥ君が、すこし詰まりながらも暗唱する。
　授業者がＴＥ君を褒める。
　そのあと、全員で音読する。
授業者「これを読んで何を感じましたか」
ＳＨＵさん「青い空」
授業者「青い空に何を感じましたか」
ＳＨＵさん「ただ青い空」

ＹＡＮさん「うみつばめ……」
授業者「うみつばめは何ですか」
ＹＡＮさん「鳥です」
授業者「その鳥がどうしましたか」
ＹＡＮさん「海の上を飛んでいる」
ＴＩＮさん「自由」
授業者「自由を感じた。おもしろいね」
ＴＩＮさん「はい」ニコニコしている。
ＴＯさん「かなしい」
　ＤＥＮ君も「かなしい」と発言。
ＴＥ君「自然、美しい」
授業者「全員に感じたことを言ってもらいました。もうないですか」
学生たち「ないです」
授業者「季節はいつですか」
ＴＯさん「夏」
授業者「どうしてですか」
ＴＯさん「海があおい。きれいだから……」
授業者「雲はありますか」

TOさん「ないです」
授業者「雲がない青い空……夏なんですね」
　学生たちがうなづいている。
授業者「空の青は漢字、海のあをはひらがな、どうして漢字とひらがな、なんですか」。
　「青」の横と「あを」の横に赤線を引く。
TINさん「青は尊敬です」
授業者「え？　ではひらがなの「あを」は？」
TINさん「わからない……」
DEN君「『あを』は他の意味がある」
授業者「どんな意味ですか」
DEN君「『あを』はもっと濃い青色」
授業者「そうですね。よくわかりました。重慶には海がないので、みなさんはよくわからないかもしれない。先生は沖縄に住んでいるのでよくわかります。とくに夏の海の色はいろいろあってきれいですよ」
　緑、碧、藍、青と板書する。
授業者「『あを』を漢字にするといろいろあります。でも、空は『青』だけなんですね」
　学生たちがよく聴いている。
授業者「ところで、白鳥は何羽、見えますか」

TINさん「3羽」
授業者「どうしてですか」
TINさん「……」
SHUさん「1羽」
授業者「どうしてですか」
SHUさん「かなしからずや……（と書いてある）」
授業者「1羽だけでかなしいんですか」
SHUさん「はい」
YANさん「たくさん」
授業者「どうしてですか」
YANさん「空は大きい。（たくさんの白鳥が）移動してる」
授業者「そうですか……」（授業者は、「ただよう」との関係をここで取り上げるか迷うが、後で戻ることにする。）
授業者「『染まず』はどういう意味ですか」
TOさん「そのままの色」
授業者「そのとおりですね。いいですよ。みなさん、赤い服と白い服を一緒に洗濯機に入れて洗濯します。すると白い服はどうなりますか」
学生たち「赤くなる」
授業者「そう。赤く染まりますね」

授業者「ということは……」
TOさん、DEN君「白い鳥は、（空や海の）あおに染まらない……」
学生たちがよく集中している。
授業者「そのとおりですね」
授業者「『かなしからずや』はかなしいのですか、かなしくないのですか」
学生たち「かなしい……」
授業者「よくわかりました。かなしくないんだろうか。いや、かなしいだろう、ということですね」
「かなしくないんだろうか。いや、かなしいだろう」と板書する。
授業者「『ただよう』は漢字で書くと『漂う』です。どういう意味ですか」
TOさん「ゆらゆら……」
授業者「そのとおりですね。空をゆらゆら、海の上をゆらゆら、しているのですね」
授業者は、「飛ぶ」と板書して、水平に一直線の矢印を描く。
授業者「これが、飛ぶですね」
授業者は、空中にジグザグ線を描く。海の上にも上下にジグザグを描く。
授業者「これが、漂うですね」
学生たちは、よくわかった様子。
授業者「YANさん、さっき、たくさんの白鳥が空を移動していると言いましたね。移動というのは、飛んでいるのですよ。ここは漂うですが……」

YANさん「1羽だけ漂っている。ほかは移動している」
授業者「なるほど。そういうことですか。1羽だけ別のところにいるのですね」
YANさん「はい」

ここで1時限目、終了。

休憩をはさん、授業再開。

授業者「牧水さんはどこにいますか」
YANさん「船にいる」
授業者「船から白鳥を見ているのですか」
YANさん「はい」
TOさん「海のそば」
DENさん「浜にいる」
授業者「浜辺から白鳥を見ているのですね」
TOさん、DENさん「はい」
TINさん「飛行機……」
授業者「飛行機から白鳥を見ているの」
SHUさん「見えないよ！」
TINさん「絵を見ている」

授業者「絵を見て、この歌をつくったの」
ＴＩＮさん「そうです」
授業者「ところで、『かなしからずや』は、何の気持ですか、誰の気持ちですか」
ＴＯさん「詩人（の気持ち）」
授業者「詩人がかなしいのですね。詩人の気持はかなしい」
ＴＯさん「はい。そうです」
　授業者が、他の学生全員に訊くと、全員が詩人がかなしく思っていると応える。
授業者「白鳥の気持がかなしいのでは？」
学生たち「ちがいます」
授業者「では、先生は白鳥がかなしく思っていることにしましょうね」
　学生たちが笑っている。
授業者「では、ひとりひとり理由を言ってください」
ＴＯさん「（詩人の）初心が変わらない。抱負はみんなと違う」
ＴＥ君「故郷が遠い。白鳥を見ると故郷を思い出す」
ＤＥＮ君「昔の自分を思い出した。何も知らない自分だった」
ＹＡＮさん「時間がない。子どもに戻りたい」
授業者「何の時間がないのですか」
ＹＡＮさん「子どもに戻る……」

SHUさん「青春が二度とないから……」
TINさん「詩人はいろいろな色に染まった。(染まらない) 白鳥に感動した」
授業者「色々な考えが出ました。いいですね」
授業者「白鳥は一羽だけで漂っている。仲間がいない。だから、白鳥の気持ちはかなしいのでは?」
学生たち「ちがいます」
授業者「理由はさっきの通りなんですね」
授業者「では、『かなし』を漢字にしたらどういう字になりますか」
　TINさんが出てきて、「寂」と書く。
　SHUさんが「さびしい」とつぶやく。
授業者「SHUさん、書いてください」
　SHUさんが「悲」と書く。
授業者「詩人は悲しいのですね」
学生たち「はい」
授業者「YANさん、どんなときに悲しいですか」
YANさん「彼氏と別れたとき……」。(YANさんは、つい最近、失恋している)
授業者「それは悲しいですね。ところで、『かなしい』にはほかの意味もありますよ」
　学生たちが、そうなの? という顔をしている。
授業者「スマホを使って、『かなし』の意味を調べてください」

しばらくして、

授業者「わかりましたか」
YANさん「哀しい」
SHUさん「つらい」
TE君「愛している」
授業者「TE君、すごいの見つけたね。『かなし』には、愛している、いとおしい、かわいくてたまらない、という意味があるんですね」
授業者「では、『詩人のかなしい』はどっちの意味ですか」

つぎのように板書する。

①悲しい
②愛している、かわいい

授業者はここで学生たちにどっちかを問う。その結果はつぎの通り。

①悲しい↓YANさん、TE君、TOさん、DEN君
②愛している、かわいい↓TINさん、SHUさん

授業者「愛している、かわいいと考えたＴＩＮさん、ＳＨＵさん、理由は何ですか」
ＳＨＵさん「白鳥はかわいい」
ＴＩＮさん「……」
ＴＥ君「寂しいから。海に漂っているから……」
授業者「ＴＥ君は、悲しいの方じゃなかったの」
ＴＥ君「変わった」
授業者「他の人、ＳＨＵさん達への意見は、それは違うという意見はないですか」
　学生たちは沈黙。
授業者「では、『染まず』は何動詞ですか」
　学生の誰かが「他動詞……」。授業者が「他動詞」と板書。
ＤＥＮ君「自動詞」
　授業者が「自動詞」と板書。
授業者「自動詞だと、白鳥は自分の意志で染まらないということですね」
ＤＥＮ君「はい。（ほかの鳥とは）関係ない」
授業者「そうすると、白鳥は孤独だけれども、自分に自信があるのかな。孤独だけど肯定的だね」
「孤独だけど肯定的」と板書する。
　これらの会話を熱心に聴いていたＴＩＮさんとＳＨＵさんが同時にあっと口を開く。何かがわかったという顔が明らか。

授業者「ＴＩＮさん、どうしました」
ＴＩＮ「白鳥も詩人も孤独だけど、他に影響されない……」
授業者「これは凄いね」
　ＴＩＮさんニコニコしている。
授業者「詩人は白鳥と自分が同じだと思った」
ＴＩＮさん「そうです」
授業者「だから、白鳥をかわいいと思った」
ＴＩＮさん「そうです」
授業者「そうかもしれませんね。ここまででいいですね。これでおわりましょうか。ほかに何か意見ありますか」
学生たち「ありません」
　学生たちがなっとくしたような顔をしている。
　授業者は、その後、漢詩の形式である「絶句」や「律詩」を引き合いに、この詩は短歌という形式の歌であることを説明。それから、ＤＥＮ君とＴＩＮさんに朗読してもらって、授業終了。

横山芳春さま

火鍋通信124号の「白鳥はかなしからずや……」の実践記録を拝読しました。

6人の中国人学生が牧水の短歌の佳境に迫っているのに驚きました。

P168「ところで」以下、「かなしからずや」を追求します。ここ歌の核になっているところです。（もちろん授業の核にするかどうかは授業者が決めることですが）しかし、発問が「なんの気持ちですか」とあいまいにしてしまい、「誰の気持ちですか」と聞き返しています。ここは「誰」であるかがポイントで、そのためには「否定＋や」をしっかりと把握させなければいけないのです。「かなしくないのだろうか」→「いや、そんなはずはない、すごくかなしいのだ」という強調だということを把握させたうえで、「誰」と問うことになります。ここで作者の心情が浮かび上がります。授業では学生たちはそのすじみちを各自自力で進んで行ったので、授業者の「先生は白鳥が……」という無理なゆさぶりにもまったくたじろがないのです。だから次のTINさんの「詩人はいろいろな色に染まった。（染まらない）白鳥に感動した」という高級な読み、授業者の「白鳥は一羽だけで」でという通俗解釈のゆさぶりにも動じないのです。詩の授業の体験が生きているからです。

P176のTIN「白鳥も詩人も孤独だけど……」という発言、そして他の学生たちもそれに同調している様子が伝わってくるのはすばらしいです。横山老師は「学生間の会話は作り出せませんでした。」という反省ですが、表面での発言がなくとも学生たちがそれぞれ共感しあっていることがよくわかります。横山老師は表の発言にしか意識が行かないようですが、学生の表情などから察知しなければいけません。機会があれば日本のどこかの紙誌に紹介しておきたいものです。お疲れ様でした。

ここ一週間で夏休みとのこと、帰郷できるのは何よりです。お元気で。再見。

横須賀　薫

松尾芭蕉「暑き日を海にいれたり最上川」の授業

火鍋通信125号（2018年6月29日）

授業者「最近、暑いですね。今日も36度ぐらいかな」
　学生たちも、暑いと言っている。
授業者「こんなに暑い日は、どうしているの」
学生たち「部屋でクーラー付けている……」
授業者「ゲームしているの？　寝ているの？」
　学生たちが笑っている。
授業者「クーラーのない昔の人たちは、どうしていたのかな……」
学生たち「シャワーにはいる……」
授業者「そうだよね、水浴びしていただろうね」
授業者「日本では、道に水をまいたりもしていましたよ」
　学生たちがうなずいていたり、「もっと暑くなる……」という学生もいる。
授業者「今日は、３００年も前に作られた歌で授業します。江戸時代の歌です」
　学生たちが、へーという顔をしている。
　授業者が板書。学生たちがすぐに写している。

暑き日を海にいれたり最上川　　　　松尾芭蕉

SHOさんが、「あつきひを　うみにいれたり……」と読みながら写している。
授業者「SHOさん、上手に読んでるね……」
SHOさんがニコニコしている。
授業者「SHOさん、これはどう読みますか」
授業者は、板書の「最上川」を指さしている。
SHOさんは、屈託なく、「さいうえがわ」。学生たちがみんなニコニコしている。
授業者「いいね。そういうふうにも読めますね。ここは「もがみがわ」と読みますよ」
SHOさんが、「もがみがわ」とつぶやいている。
授業者「それとここは、まつおばしょう、と読みます。江戸時代のとても有名な歌人俳人です」
俳人と板書。
授業者「この歌は、俳句といいます」
YANさんが、「俳句」とつぶやいている。
授業者「何回か読んでください」
学生たちが音読している。
授業者は、学生全員（6人）に音読してもらう。みんな明るく読んでいる。
授業者「この歌を読んで感じたことは何ですか」
SHUさん「夏」
授業者「夏がどうしました」

ＳＨＵさん「夏、海がきれい」
授業者「夏の海はきれいですね。沖縄の海は、夏きれいですよ」
ＳＨＯさん「暑い」
ＹＡＮさん「海に遊びに行く（海に遊びに行っている？）」
ＴＩＮさん「海と川。涼しい」
授業者「海と川があって涼しい。いいですね」
ＤＥＮ君「光で海が輝く……」
ＳＨＵ君「サンシャイン」
授業者「ＳＨＵ君、海が光っているんですね」
ＳＨＵ君「はい。ＤＥＮ君と同じ」
　ＳＨＯさんとＹＡＮさんがしきりに中国語で話し合っている。
授業者「ＳＨＯさんＹＡＮさん、どうしました」
ＳＨＯさんＹＡＮさん「最上川の意味がわからない……」
授業者「そうですね。どうして最上川がでてくるのでしょうかね……とてもいいところに気づいたと思いますよ」
ＳＨＯさん「おもしろい話……」
授業者「どういうこと？」
　ＳＨＯさんはニコニコしながら、説明できないでいる。

授業者「最上川のことは、あとで話し合いましょう」
授業者「季節はいつですか」
すぐに、YANさんとDEN君が、「夏。」
授業者「どうしてですか」
DEN君「暑き日だから」
授業者「そうですね。夏ですね」
授業者「夏ですが、夏の初めですか、真ん中ですか、終り頃ですか」
SHUさん「真ん中」
授業者「どうして」
SHUさん「暑き日、とても暑いから」
DEN君「海にいれたい気持……」
授業者「涼しくなるからね……」
学生たちが、頷いている。
授業者「何時ごろですか」
学生たち「夕方」
授業者「『日』とは何ですか」
TINさん「夏休み」
ニコニコしながらそう言っている。

授業者「……夏休みの日なんですね」
DEN君「太陽」
　授業者が「太陽」と板書。
授業者「あるね……ほかには」
TINさん「朝から夜……」
授業者「一日」と言うことですね」
　「一日」と板書。
授業者「他にはないですか」
学生たち「……」
授業者「みんなの考えを確認します」
　次のような結果となる。
太陽……DEN君、SHOさん、YANさん
一日……TINさん、SHUさん、SHU君
授業者「半分にわかれましたね。先生は、太陽と一日という両方もあると思うよ」
授業者「DEN君、太陽だね。では、太陽はどこにあるの。図に描いてください」
　授業者が、ホワイトボードに水平線を描く。その下部に「海」と書く。YANさんとSHOさんが、中国語で話し合っている。「描く……」と言っている。
　DEN君が前に出てきて、完全に海の中に沈んだ太陽を描く。

授業者「ＹＡＮさん、ＳＨＵさん、これでいいですか」
ＹＡＮさん「違う」
授業者「太陽はどこですか」
ＹＡＮさんＳＨＯさん「半分……」
　授業者が水平線に半分掛かった太陽を描く。
授業者「これでいいですか」
ＹＡＮさん「はい、いいです」
　授業者が音読。

　暑き日を海にいれたり最上川

授業者「『いれたり』の「いれる」は何ですか」
　ＳＨＵさんが、手で物を何かに入れる動作をしている。
授業者「ＳＨＵさん、そのとおりですね。いいですよ」
　授業者は、たまたま学生が持っていた乾燥フルーツの入ったプラスチック容器を掲げる。なかのフルーツをすこし取り出し、容器に戻す。これを３度くりかえす。
授業者「これが『いれる』ですね」
　学生たちが、スッキリした顔をしている。

授業者「太陽はどこにあるのですか」

図を指さしながら訊いている。

SHUさん、DEN君「全部入っている」

SHUさん「『いれる』は、全部入る……だから」

授業者「ここは、太陽は全部、海の中に入っているのでしょうね」

授業者「それと、『暑き一日』のほうも、全部海の中に入った、という事かな」

TINさんが頷いている。

授業者「太陽が沈みました。暑い一日が海の中に入りました。その結果?」

TINさんがこっちを見ている。

TIN「涼しい……」

授業者「そうですね。太陽が沈むと涼しくなります。まるで暑い一日が海の中に沈んだようで、涼しくなりました」

学生たちが納得している様子。

授業者「ところで、何が、太陽や暑き一日を海に、いれたのですか」

学生たち「……」

授業者「もう一度、音読してみてください」

授業者「『暑き日』は目的語です、主語は何ですか」

学生の間に、「自然が……」という声あり。

　ＴＩＮさんが「海」と発言。
授業者「海が暑き日を海に入れた……可能性はありますね」
ＹＡＮさん「詩人」
授業者「詩人が暑い日を海にいれた……どうでしょうか？」
ＤＥＮ君「最上川」
授業者「最上川が暑き日を海にいれた。なるほど……」
授業者「ＹＡＮさん、ＳＨＯさん、さっき最上川の意味はって、訊いていましたね」
　ＹＡＮさんＳＨＯさんが、嬉しそうに「はい」。
授業者「この歌を読んで、最上川はどのような川だと思いますか」
　学生たち沈黙。考えだしたのか、お手上げ状態なのか……
授業者「では、長江はどのような江ですか」
　学生たちが口々に、「水が多い」「長い」「広い」
授業者「長江はとても広くて長くて水の多い江ですね」
学生たち「はい」
授業者「では、最上川は？」
ＴＩＮさん「大きい」
授業者「そうです。大きいです」
授業者「水は？」

学生「多い！」
授業者「その通りです。それと日本でも有名な急流です」
「急流」と板書する。
授業者「水が多くて、大きい川、最上川が太陽や暑き一日を海にいれたんでしょうね。それで、涼しくなった……という歌なのかな……」
学生たちが頷いている。
授業者「どうして芭蕉はこういう歌を作ったんでしょうね。難しいかな？」
ＳＨＵさん「（最上川の）大きさに感動した……」と直ぐに答える。
授業者「ＳＨＵさんいいね。芭蕉は、最上川の大きさや水の多さ、雄大さに感動したんでしょうね。ＳＨＵさん、凄いことがわかりましたね。立派です」
授業者「これでこの歌のことわかりましたね」
学生たちがほほ笑んでいる。このあと、用意していた絵と写真を見せる。
学生たちから、「フッー」と感心したような溜息がこぼれる。
最後に、ひとりひとりに朗読してもらって授業終了。

横山芳春さま

你好！　いい授業（の報告）をありがとう。P186の展開、「何が、太陽や暑き一日を海に入れたのか」↓DEN君「最上川」↓「この歌を読んで、最上川はどのような川だと思いますか」↓「では、長江はどのような川だと思いますか」はすばらしいです。なぜならP183「最上川のことは、あとで話し合いましょう」という伏線がここで生きてきたからです。授業展開には「伏線」が大事になるのは推理小説と同じです。

少し残念なのはP183「日」とは何か、で「太陽」と「一日」が出て両方があることを確認します。（これだけでも十分ですが）この先が理屈っぽくなってしまったことでしょう。どうして横山さん得意の「何が見えますか」を使わなかったのかしら。そうすれば太陽が最上川河口の海に沈んでいくところが学生たちに見えたに違いありません。この句はここが命なので導いてほしかったです。でも学生たちはほんとに追及力が育ちましたね。

お疲れ様でした。沖縄への無事帰還を祈っています。

関東甲信越の早すぎる「梅雨明け」からはずされたが、猛暑と雷雨に見舞われた仙台より。再見。

横須賀　薫

山村暮鳥「雲」の授業

火鍋通信129号（2018年11月17日）

雲　　山村暮鳥

おうい雲よ
ゆうゆうと
馬鹿にのんきそうじゃないか
どこまでゆくんだ
ずつと磐城平の方までゆくんか

中級クラスでの授業。出席学生は7人。

授業者が、詩文を板書しはじめる。学生たちがすぐに書写を開始。KYOさんが黒板ではなく何かを見ながら書写している。覗いてみると、音読の教材として使っている「音読二年生」（学研）だった。そこには、すべての漢字にルビを振っていたり挿絵もあったので、これは見ないでと告げる。

TAI君が、この詩どこかで見たな……とつぶやいている。

写し終えた学生に音読を指示。すぐに、GO君が、「先生、磐城平は何と読みますか」と質問する。

授業者は、○○と読んでおいてくださいと伝える。

全員の書写が終わったので、みんなに音読するように指示。学生たちは小声で音読している。

授業者「HO君、音読してください」
　HO君はスムーズに音読する。磐城平だけが読めない。
授業者が、「いわきたいら」と教える。
授業者「OHさん、音読して……」
　OHさんは、ゆっくり読んでいる。「じゃないか」が読みにくそうである。
　このあと全員で音読する。
授業者「この詩を読んで何が見えましたか」
MOさん「雲」
HO君「馬鹿」
GO君「磐城平」
KYOさん「白い雲」
GO君「おうい雲」
MOさん「雲が磐城平の方へゆっくり飛んでいる……」
授業者「いろいろでましたね。MOさん、すごいね。あとで考えてみようね」
授業者「『おうい』は何ですか」
TAI君「たくさん。たくさんの雲……」
MOさん「おいで……」

授業者「そうですか。『おうい』は中国語で何と言いますか」
　学生たちが、中国語で何かを言っている。授業者はわからない。
授業者「『ウェイ、ウェイ』ですよ」
　学生たちの顔がほころぶ。
授業者「ウェイウェイ雲よ、と雲に呼びかけているのですね」
　学生たちは笑っている。よく理解できたようだ。
授業者「『ゆうゆう』は何ですか」
MOさん「ゆっくり」
授業者「ゆっくり、ですね。いいですよ。MOさん『ゆうゆうと』と歩いてみて……」
　MOさんが少し照れながら、ゆっくり歩く。だがトボトボ歩いている。
授業者「いいね。落ち着いてゆったり歩くことです」
　授業者が、落ち着いてゆったりと歩いて見せる。
　学生たちがほほ笑んでいる。
授業者「『のんき』は何ですか」
GO君「ゆっくり……」
授業者「性格がのんびりしている、ということですね」
授業者「馬鹿は何ですか」
　すぐに勢いよく、

ＨＯ君「あほう」
授業者「あほう、の意味もありますね。でも、『馬鹿にのんき』、『あほうにのんき』、すこしヘンだね……」
ＨＯ君「ヘンだね」
授業者「馬鹿にはもうひとつ違う意味があります。『程度が大きい、非常に、とても』という意味です」
授業者は、板書の『馬鹿に』のヨコに『とても』とか書く。
授業者「ここは、とてものんびりしている、という意味になります」
学生たち、しっかり聴いている。
ＧＯ君「先生、『ゆくんか』は何ですか」
授業者「行くのですか？　という意味です」
ＧＯ君「はいわかりました」
授業者「磐城平は？」
学生のだれかが、「地名」と言っている。
授業者「地名ですね。福島県の街です」
地名「福島県」と板書する。
授業者「『ずっと』は何ですか」
ＧＯ君「いつも、always……」
授業者「近いですね。昨日はずっとゲームをしていた……長い間ということですね」

「①長い間むと板書する。
授業者「長い時間という意味もあります。ずっと前、君に会ったことがある、だいぶ前に君に会ったということですね」
「②長い時間」と板書する。
授業者「他の意味もありますよ。距離が離れている、遠いです。ずっと遠くに富士山が見える、かなり遠くに見えるという事ですね」
「③距離が遠い」と板書する。
授業者「まだあります。迷わずに進む、この道をずっと行くと地下鉄駅に着く。まっすぐ行くと地下鉄駅に着くということ」
「④迷わずに進む」と板書する。
すこし説明っぽくなったが、学生たちは集中を切らしていないようだ。
授業者「では、初めにもどりましょう。KYOさん、『白い雲』が見えました。どうして白い雲なのですか」
ちょっと考えて、
KYOさん「のんびりだから……」
授業者「そうですね。ゆうゆうとのんびりしているから。いいですよ」
授業者「では、雲の形は？」
ちょっと考えて、
KYOさん「ふわふわしている」

授業者「いいね……ふわふわしている雲。ＫＹＯさん描いてみて」
　ＫＹＯさんが、ニコニコしながら丸いもこもこした雲を描く。
授業者「季節はいつですか」
　こっちを向いているＴＡＩ君に、
授業者「ＴＡＩ君、季節はいつですか」
ＴＡＩ君「春」
授業者「どうしてですか」
ＴＡＩ君「春から夏の雲。風が多い、ゆうゆうとしてる……」
授業者「いいですね。春から夏の雲。理由はゆうゆうとしているから」
授業者「(ＫＹＯさんが描いた雲を指しながら) この雲は、空のどの辺にありますか」
学生たち「……」
授業者「雲は高いところにありますか」
　授業者が筋雲を黒板の高い位置に描きながら訊いている。
ＧＯ君「違う。低い……」
授業者「ＧＯ君、雲は低いところにある。どうしてですか」
ＧＯ君「『おうい』だから」
授業者「そのとおりですね。『おうい』と呼んでいる。空の高いところに、たとえば10キロの高さ(「10キロ」と筋雲のヨコに板書する) の雲に呼びかけませんね」

学生たちが笑っている。

授業者「『おうい』と呼びかけて、声が届くような……雲は低いところにある」

授業者「ところで、雲は何個くらい見えますか」

TAI君「1個か2個」

授業者「どうして」

TAI君「呼んでいるから……」

授業者「そうですよね。たくさん雲があったら、呼びかけませんね。どれを呼んでいるのか、わかりませんね」

授業者は、雲をたくさん描きながら、それらの雲に向かって「おうい」と呼んでいる。学生たちが、おおいに笑う。

授業者「MOさん、さっき『雲が磐城平の方へゆっくり飛んでいる』のが見えるといいましたね。なぜ、磐城平のほうへ飛んでいるとわかったのですか」

MOさん「『ずっと磐城平の方までゆくんか』と書いてある……」

授業者「そうですね。雲はなぜ磐城平の方に行くのですか」

TAI君「風がある」

授業者「ですね。強い風ですか」

MOさん「弱い風」

MOさん「のんきだから」

授業者「よくわかっているね」
授業者「では、だれが雲に『おうい』と呼びかけているのですか」
MOさん「詩人」
授業者「詩人でしょうね。詩人は男ですか女ですか」
GO君「男」
授業者「どうして」
GO君「『おうい』と言っているから」
授業者「『おうい』という言い方は男なんですね」
GO君「はい」
授業者「だいぶ理解できましたね。ちょっと難しいことを訊きます」
授業者「詩人は『どこまでゆくんだ　ずっと磐城平までゆくんか』と雲に訊いてます。詩人は、このあと何をしたと思いますか。すこし考えてください。隣の人と話し合ってもいいですよ。中国語で話してもいいですよ」

学生たちが、中国語で話し合っている。とくにいつもおしゃべりなMOさんが活発に話している。

しばらくして、

授業者「いかがですか」
TAI君「雲といっしょに、磐城平に行った」
授業者「そうですか。それは面白いですね……」

授業者「他にありますか」
しばらく待つ。
学生たち「……」
授業者「ではこうしましょう」
つぎのように板書する。
①雲といっしょに磐城平に行った。
②磐城平に行かなかった。
授業者「全員の考えを訊きましょう。①と②のどちらですか」
結果はつぎのとおり。
①雲といっしょに磐城平に行った。……TAI君、KYOさん、OHさん、SOさん、GO君。
②磐城平に行かなかった。……………HO君、MOさん。
授業者「では、理由、根拠を訊きます」

授業者「①の考えの人、理由は何ですか」
KYOさん「詩人の友達は雲だから……」
授業者「雲は友達？……」
TAI君「『おうい』は友達への呼び方だから」
GO君「詩人は（磐城平へ）行きたいので、雲も行きたいのだと思う」

SOさん「GO君と同じ……」
TAI君「磐城平は近い。だから詩人は行く……」
授業者「磐城平は近いのですか」
MOさん「磐城平は遠い！」
授業者「MOさん、なぜ遠いのですか。TAI君に説明してください」
MOさん「『ずっと』は遠いです」
授業者「そうですね。磐城平は遠いようですね」
　TAI君がじっと聴き入っている。
授業者「では、②の人の理由は」
HO君「(詩人は) 磐城平に住んでいるので……」
授業者「詩人は磐城平に住んでいるのですか。磐城平に住んでいて、それで雲に磐城平にいくんか、と訊いているの？」
TAI君「おかしい……磐城平に住んでいない」
　HO君がニコニコしている。
MOさん「(磐城平は) 遠いので行くことができない」
　すこし考えて、
MOさん「行きたいけど行くことができない」
授業者「どうして」

MOさん「いろいろ理由がある……」
授業者「MOさんいいですね……①のひとも②の考えの人も、詩人は磐城平に行きたいのですね。行きたい理由がある……」
授業者「詩人は雲に『馬鹿にのんき』と言っている。これは、雲にのんきでいいな――という事ですね……詩人はのんきですか？」
学生たち「のんきじゃない」
授業者「だったら、雲はのんきで磐城平に行っていいね……でもわたしはのんきじゃないから、行くことはできない……と言っているのかな……はっきり書いてませんからわかりませんけどね」
授業者「では、もう一度、考えを訊きましょう。①ですか②ですか」
　結果は、TAI君だけが①から②の考え（磐城平に行かなかった）に変わった。
授業者「最後の問いです。磐城平に何があると思いますか」
MOさん「大切な人がいる」
TAI君「友人がいる」
KYOさん「愛人がいる」
GO君「愛人は中国語では妻です。KYOさん、愛人は？」
　KYOさんは笑っているだけ……
HO君「夢の場所？」
授業者「何ですか」

ＨＯ君「理想……目標がある……」
授業者「ＨＯ君、おもしろいですね。いろいろでましたね。みなさんいいですよ。詩人にとって磐城平は特別な場所なんですね」
　学生たちの表情がいい。
授業者「では、ここまでにして、朗読して終わりましょう。①の考え②の考えの人それぞれ朗読してもらいましょう。①の人は？」
　学生たちが「ＧＯ君」と言う。
ＧＯ君、朗読。
②の代表は、ＭＯさんとなる。ＭＯさん朗読。
授業者「短い詩だから覚えることができますね。だれか……」
ＴＡＩ君とＧＯ君とＭＯさんが、暗唱して授業終了。

横山芳春さま

你好！　１２９号拝受。昨日は「私信かたくりの花」の送付のほか私事にかまけて批評が遅れました。お許しください。さて、授業は面白く、所期の目的が達せられたと思います。その手柄はＰ２００①雲といっしょに磐城平に行った②磐城平に行かなかった「全員の考えを訊きましょう。①と②のどちですか」だと思います。これで学生たちは考え始めたのです。ただ、授業者は「磐城平」をＰ１９５で「福島県の街です」と説明していますが、これは誤りです。「〇〇平」は高い山地の中にある平地です。長野県民歌に「松本、伊那、佐久、善行寺、四つの平は肥沃の地」と歌われています。街ではありません。それから「馬鹿に」をＰ１９５で「程度が大きい、非常に、とても」と言い換えていますが、もちろんそれが正しいのですが、それではなぜそこを「馬鹿」にと云うのかが大事だと思います。それは「予想外に」とか「お前ばっかり」という作者の感情が込められているのだということが大事です。このとき作者の心情か状況かがあわただしかったのではないか、それで雲がゆっくり動いていくことに「うらやましさ」や嫉妬を感じたから「馬鹿」になのでしょう。そんなこと思いました。……日本東北もようやく寒くなってきました。おからだ大切に。再見。

横須賀　薫

室生犀星「はたはたのうた」の授業

火鍋通信１３１号（２０１８年12月26日）

はたはたのうた　　室生犀星

はたはたといふさかな、
うすべにいろのはたはた、
はたはたがとれる日は
はたはた雲といふ雲があらはれる、
はたはたやいてたべるのは
北国のこどものごちそうなり。
はたはたみれば
母をおもふも
冬のならひなり

授業の対象は中級クラス。出席している学生は6人。2人欠席。1人は北京に絵の勉強に行ったとのこと。もうひとりは腹痛のため欠席。

授業者が詩を板書。すぐに学生たちが写し始める。

授業者「書き終わった人は音読を始めてください」

真っ先に書き終えたT君が小さな声で音読している。G君はまだ書いている。覗き込んでみると、彼は丁寧な字で一字一字ゆっくり書いている。

授業者「では、H君音読してください」

H君は、「雲があらはれる」の「は」をどう読むかちょっと詰まる。「北国」は読めない。「おもふ」の「ふ」は「ふ」と読んでいる。

授業者「Oさん、音読してください」

Oさんは、北国を「きたぐに」と正確に読む。

授業者「雲があらはれるの『は』は『わ』と読みます。おもふの『ふ』は『う』と読みます。これらは、昔の書き方です」

授業者「S君、音読してください」

S君は、すべての文字を正確に音読。

授業者「わからない言葉がありますか」

Kさん「はたはた」

G君「はたはたは魚……」

授業者「G君、そのとおり。魚の名前ですね」

S君「うすべにいろ……」

授業者「わかる人いますか」

学生たち「……」

授業者「べには紅と書きます。うすべにいろは、うすい赤色ですね」(「紅」と板書する)
授業者「G君、となりのOさんの口紅の色ですよ」
Oさんと G君、他の学生たちも了解したよう。
授業者「ほかにわからない言葉は」
S君「あらわれる」
授業者が一端、教室の外にでて、ドアあけて入ってくる。入室しながら「先生があらわれる」と言う。学生たちが理解する。
S君「おもう……」
T君「考える……」
授業者「ほかにないですか」
学生たち「ないです」
授業者「なり、は何ですか」
T君「である」
授業者「その通りですね」
授業者「ごちそう、は何ですか」
T君「おいしい食べ物」
授業者「その通りです。重慶のごちそうはなんですか」
学生たち一斉に「火鍋」

授業者「ですね。『ならい』は何ですか。G君」

G君が考えている。中国語を思い出そうとしている。

G君「中国の漢字を思い出そうとして……」

T君「ならう……」

授業者「これですか」

授業者が「習」と板書する。

T君「そうですが……ちょっと違う」

授業者が「習慣」と板書する。

授業者「これですか」

T君「はい」

授業者「Kさんの毎日のならいはなんですか。毎日することは何ですか」

Kさん「毎日、家のまわりを走ってます」

授業者「とてもいいですね。先生のならいは、朝起きて紅茶を飲みながら、ネットで日本の新聞を読むことですよ」

Kさんがニコニコしている。

授業者「『ならい』は習慣、いつもそうすること、ですね」

学生たちが納得。

授業者はここで、はたはたなどの写真を見せる。

授業者が七輪ではたはたを焼いている写真を見せたところで、H君が「あー」と言う。学生たちは、この詩の辞書的な意味がわかった様子である。

授業者「季節はいつですか」
Oさん「冬」
授業者「どうして」
Oさん「冬と書いてる」
授業者「話者は何を見ていますか」
G君「北国……北国の冬の季節……北国の冬の生活」
授業者「G君、いいですね。北国の冬の生活を見ているのですね」
G君「はい」
Kさん「船の上。魚を取っている」
T君「はたはたを焼いている」
H君「天気。悪い天気を見ている」
Kさん「(H君と)同じ……」
T君「はたはた雲」
G君「ひと家族。はたはたを食べているところ」
授業者「誰がはたはたを焼いているのですか」
T君「母親が焼いている。子どもが食べている」

授業者「子どもは、どんな顔をしてはたはたを食べているのかな」
学生たち「……」
授業者「重慶の子どもが火鍋を食べているとき、どんな顔をしていますか」
G君「火鍋は辛いから、辛そうな顔をしてる」
授業者「北国の子どもがはたはたを食べているとき、どんな顔をしてますか」
G君「嬉しい」
Kさん「楽しい、幸せ……おいしいから」
授業者「北国の子どもははたはたを幸せそうに食べているのですね」
学生たち「はい」
授業者「はたはた雲やはたはたを食べているところを、話者は、今、目の前で見ているのですか」
G君「ちがう。見ていない」
授業者「見ていないのですか」
G君「昔を思っている」
授業者「昔のことを思い出しているのですか」
G君「はい」
授業者「誰が昔のことを思い出しているのですか」
G君「詩人」
授業者「詩人、話者ですね」

G君「はい」
授業者「では、今、見ているものは何ですか」
T君「はたはたを見ていない」
授業者「はたはたを見ていないのですか」
授業者「ほかの人は？」
　全員に訊くと、
　①はたはたを見ていない……T君、Oさん
　②はたはたを見ている……ほかの4人
授業者「T君、なぜ今はたはたを見ていないのですか」
T君「『はたはたみれば』の『みれば』は、『もし見たら……』の意味だから」
授業者「なるほど。『ば』は、仮定の意味がありますからね。もう一つ意味がありますよ。それは、『見たので……』という意味です」
授業者「ほかの人、どう思いますか」
学生たち「……」
授業者「ちょと、ここは難しいね。目の前にははたはたがある。それを見て、話者は、はたはたの描写をしている。『はたはたといふさかな、うすべにいろのはたはた』……」
　授業者は、「描写」と詩文の1行目と2行目の上部に書き加える。
授業者「それから、北国の冬の生活を思い出している。母親がはたはたを焼いて、子どもがうれしそうに食べているところですね。T君、どうですか」
T君「それでいいです」
　T君、笑顔。
授業者「ところで、子どもは何歳ぐらいですか」
　S君が、「エッ」と言う。笑っている。
S君「6歳」
G君「7歳から8歳」
授業者「それくらいでしょうね」
授業者「話者は何歳ぐらいですか」
T君「30歳から40歳」
G君「40歳から50歳」
授業者「今、話者はどこにいますか」
G君「北国の生まれ、今は南にいる」
授業者「どうして」
G君「感じです」
Kさん「北国以外のところ。故郷が北国……」
授業者「どうして」
Kさん「北国の魚を見て、故郷を思い出した」

授業者「ところで、『冬のならい』とは何ですか」

学生たちすこし考えて、

T君「魚をとる。焼いて食べる」

授業者「いいですね。ほかには」

学生たち「……」

授業者「母をおもうもの『も』は何ですか」

G君「もう一つある……」

授業者「もう一つは何ですか」

T君「母をおもう」

授業者「その通りですね。はたはたを見ると、はたはた漁を思い出す。母が子どもに魚を焼いてあげて、子どもがうれしそうに食べている。母をおもう、これらが冬のならいですね」

学生たち「はい」

授業者「それでは、誰が母をおもっているのですか」

学生たちの考えがいろいろと出てくる。集約すると、

① 話者……………………Oさん、S君

② 話者をふくむ北国出身者で今北国にいない人……Kさん、H君

③ 北国の子ども…………無

④ ①②③の全部…………T君、G君

授業者「いろいろでましたね。ところで、北国の子どもは「はたはた」を食べて幸せそうでしたね。話者は、どうですか。同じように幸せそうですか」
T君「さみしい」
授業者「さみしいのですか。全員に訊きましょう」
G君「うれしくない」
Kさん「ちょっとうれしい。故郷を思い出しているから……」
H君「さみしい、懐かしい」
S君「さみしい」
Oさん「わからない」
Kさんが再び発言「さみしい。母がいないから……」
授業者「うれしいと思う人はいないの？」
　どの学生もうれしいとは考えていないことがわかった。
授業者「では、理由を言ってください。難しいでしょうから少し考えてください。まわりの人と話し合ってもいいですよ」
　学生たちがしばらくの間、話し合っている。中国語だから内容がわからない。
T君「今、はたはたを食べられないから、母に会えないから」
H君「思い出すのは、いろいろだから……」
授業者「何を思い出してさみしいのかな」

H君「いろいろ……」
G君「全部に楽しい話はない。書いた時は全部楽しいが、心は楽しくない」
授業者「G君、どういうことですか」
G君「(一般的には) 楽しいのが深いときは、心がさみしいのが深い……」
授業者「詩とはそういうものだという事ですか」
G君「はい」
授業者「この詩は楽しいことが書いてますね。では、さみしいことはどこに書いてますか」
G君「書いていない」
授業者「では、母はどこにいるのですか」
H君「北国」
G君「(すこし躊躇しながら) たぶん死んでいる」
T君「心の中にいる」
授業者「心の中?」
T君「亡くなった?……」
授業者「ところで『思い出す』と『おもう』は同じ意味ですか。スマホで調べてもいいですよ」
すこしして、
G君「『思い出す』は、昔のことをふたたび思い出す」
T君「『おもう』は、考える」

授業者「『おもう』は考える、そのほかはないですか」
学生たち「ないです」
授業者「先生は大きな辞書で調べてきました。『かなしむ』『心配する』『心を痛める』などの意味がありました（これらを板書する）。そうすると、『母をおもう』の意味は何ですか」
G君「母を心配する……」
授業者「誰が母を心配しているのですか」
G君「詩人」とすぐに答える。
授業者「詩人話者が母を心配していますね。母のことを思って心を痛めています」
授業者「だいたいこの詩のことがわかってきましたね。T君、この詩を内容を説明してくれますか。最初から……」
T君「……」
授業者「はたはたは薄紅色の魚だ……はたはたが獲れる日は……」
T君「はたはたが獲れる日は、はたはた雲が出てくる。北国でははたはたを母が焼いてくれて……子供が食べている……ごちそうだから子どもはうれしい」
授業者「北国の子どもはごちそうを食べてうれしい、幸せだ……それから」
T君「はたはたを見ると、母のことが心配になる……」
授業者「はたはたを見ると、母のことが心配になる、心が痛くなる。このことも冬の習慣だ……ということですね」

学生たちが静かに聴いている。

授業者「T君、ありがとう。この詩の意味は、たぶんこういうことでしょうか……。では、誰かに朗読してもらって終わりましょう。Kさん、誰に朗読してもらいましょうか」

Kさんが周りをみわたしながら……。

Kさん「G君に……」

授業者「ではG君、お願いします」

G君「ちょっと、準備して……」

G君、すこし緊張しながら朗読。

授業者「G君、ありがとう。T君も朗読できますか。お願いします」

T君が静かに朗読。授業終了。途中休憩を挟んで、70分ほどの授業だった。

横山芳春さま

你好！　今日本列島は寒波におおわれています。仙台は蔵王山で落としきれなかった雪が降って、積もっています。毎朝2、3センチ降っています。日本海側はかなり大変なようです。沖縄は雨のようですね。

さて、詩の授業記録拝読しました。かなり難しい詩を教材にしたと思います。「難しい」というのは現在と回想が入れ子になっているからで、日本の小、中学生でも大変でしょう。それにしてもこの大学生たちはよく頑張っています。一番感心したのは、P215で「話者は、どうですか。同じように幸せそうですか」というやや見当違いの発問に「さみしい」と答え、それがみんなに広がっていることでしょう。これは読み取りの正確さより、詩全体が持つ雰囲気を的確に把握しているということでしょう。それを十分に生かし切れなかった授業者に責任があります。（ちょっときびしいかな）詩人は「今、どこで何をしているのか」が基本の問題、「故郷を離れてはたはたをみている」↓回想にふける、①はたはたという魚について、そして②母親について、という構造がとらえられないと読み取りは困難になります。授業ではいっそのことここまで授業者が解説してしまって、核になる発問をなげるという手法でもよいのではないかと思います。その「核」は8行目の「母をおもふ」で、この「おもう」はどの漢字が最適か，思、想、憶、懐を提示する、というような展開はいかがですか。多義的な言葉に「ひらがな」があてられているときは要注意。そこに魚が潜んでいます。それではよいお年を。

横須賀　薫

再見。

まど・みちお「ケムシ・――」の授業

火鍋通信１３３号（２０１９年３月23日）

ケムシ・――　まど・みちお

さんぱつは　きらい

N2クラスで授業（3月20日の授業）。5人出席。このクラスの学生たちは、4月初旬に日本へ留学していく。

授業者が「ケムシ」と板書する。

授業者「ケムシは何ですか」

学生たち、わからない。

授業者が「毛虫」と板書する。

授業者「漢字で『毛虫』と書きますよ」

学生たちがいっせいに「あー」という。

授業者「中国語では『毛毛虫』と書くようですね」

学生たちが「そうそう」といっている。

授業者「HO君、毛虫の絵を描いてみて」

HO君がちょっと照れながら毛虫の絵を描く。眼と鼻のあるかわいい幼虫を描いている。毛は非常に少ない。
授業者「ありがとう。かわいいね」学生たちがニコニコしている。
授業者「KYOさん、描いてみて」
KYOさんが、〝はらぺこあおむし〟にそっくりな絵を描く。
授業者「これはまたかわいいね！」
学生たち笑う。
授業者「辞書で調べると、毛虫はチョウやガの幼虫で、長毛のあるものということですよ」
長毛と板書。パワーポイントで毛虫の写真を見せる。
授業者が毛だくさんの毛虫を描く。
授業者「これが毛虫ですね」
学生たちがうなずいている。
授業者が「ケムシ・———」を板書する。
授業者「これは何ですか」
学生たちが考えている。
GO君「俳句？」
授業者「近いね……おしいね……」
授業者「ほかのひとは？」
学生たち「……」

授業者「詩ですね」
　ＧＯ君がそうかという顔をしている。
授業者「これは詩です。このひと、まどみちおは詩人です」
　学生たち納得。
授業者「では、読んでください。音読してください。５回、音読してください」
　学生たちが、大きな声で読んでいる。
授業者「ＫＹＯさん、読んでください」
　ＫＹＯさん音読。「さ」の発音がすこしだけ気になる。
授業者「Ｏさん、読んでみて」
　Ｏさん音読。ちょっと口ごもった発音。
授業者「もう、覚えたでしょう。ここを（板書を）見ないで、みんなで音読しましょう」
　学生たちが暗唱する。
授業者「この詩を読んで何が見えましたか」
学生たち「……」
ＫＹＯさん「黒い毛虫」
Ｏさん「きらい」
ＧＯ君「気持悪いもの」
ＨＯ君「黒い毛虫」

ＴＩＮさん「蝶」
授業者「いろいろ見えましたね。いいですよ」
授業者「さんぱつ、は何ですか」
　学生たち、わからない。
ＧＯ君「３！」
授業者「ＧＯ君、イチ、ニイ、サンのサンですか？」
　ＧＯ君、ちょっと違ったかなという顔をしている。
授業者「漢字を書きましょう」。授業者が「散髪」と板書。
学生の間から「あー」という声が聞こえる。
　ＴＩＮさんとＨＯ君が、髪をカットする仕草をしている。
授業者「ＴＩＮさん、何ですか」
　ＴＩＮさんがジェスチャーしながら「これです」といっている。
授業者「それですね。髪を切ることですね」
　学生たちが安心した様子。
授業者「『きらい』は何ですか」
ＧＯ君「好きじゃない」
授業者「散髪は嫌いなんですね」
学生たち「はい」

授業者「では、何が誰が散髪は嫌いといっているのですか」
学生たちが口々に「毛虫」といっている。
同時にＴＩＮさんが「オッー」といっている。
授業者「これは毛虫が、散髪は嫌いといってますね。ＴＩＮさん、オッーといいましたが、どうしたの？」
ＴＩＮさん「切ったら（散髪したら）嫌いになった……」
授業者「散髪したらなぜ嫌いになったの？」
ＨＯ君「気持悪いから……」
ＫＹＯさん「死んだ……」
授業者「ＴＩＮさん、髪を切った、散髪した毛虫を描いてみて」
ＴＩＮさんが、前に来て散髪後の毛虫を描く（授業者が描いてある長毛の毛虫の下に描かせる）。それは、芋虫のような形態で毛がほとんどなくなっている。
授業者「（ＴＩＮさんが描いた絵を示しながら）これは何ですか」
ＴＩＮさんはじめ学生全員が大笑いしている。
ＧＯ君「虫です」
ＧＯ君がニヤニヤしながら発言している。
授業者「虫、ただの虫ですね……散髪したら毛虫じゃないみたいだね……」
ＧＯ君がうなづいている。

授業者「ところで、毛虫は散髪をしたのですか、していないのですか。どっちですか？」
全員に訊くと、TINさんが以外の学生は「散髪していない」という考え。
授業者「これは、どちらも正しいでしょうね。どちらも考えられますね」
授業者「ところで、毛虫は散髪は嫌い、といって何をしていますか」
学生たちが考えている。すこしして、
KYOさん「歩いている……」
HO君「食べ物を探している」
TINさん「(自分の) 身体を見ている……」
GO君「逃げている……」
授業者「GO君、逃げている。なぜ、逃げているの？」
GO君「散髪が嫌い……」
授業者「散髪が嫌いだから逃げているのですね」
GO君「はい！」
授業者「KYOさんは歩いている。どこへ歩いているの？」
KYOさん「安全なところ……」
授業者「いいね。凄いね。散髪から逃げて、安全なところへ行こうとしている」
KYOさんが笑顔で反応している。
授業者「では、ケムシ・——の〃——〃は何ですか」

学生たちが意外な顔をしている。考えている……。

ＴＩＮさん「毛虫ストーリー」

授業者「いいね。毛虫の話ってことかな」

ＫＹＯさん「毛虫の足」

授業者「これもおもしろいね。毛虫の足ね……」

ＴＩＮさん「足跡？」

授業者が板書を指示しながらゆっくりと「ケムシ ーーーー。まどみちお」と何度も読む。

ＴＩＮさん「名前？」

学生たちもパッと反応する。

授業者「名前かもしれませんね。毛虫の名前」

授業者「ＴＩＮさん、毛虫に名前があるの」

ＴＩＮさん「ない……」

授業者「このなかで犬を飼っている人いますか」

幾人かがが反応する。

授業者「ＫＹＯさん、その犬の名前は？」

ＫＹＯさん「〇〇です」

授業者「犬に名前があるね……」

授業者「パンダにも名前があるね。詩人はなぜ毛虫に名前があると、考えているの？」

Oさん「(毛虫のことが) 好き」
TINさん「小さな世界を考えている……」
授業者「小さな世界、いいですね。とてもいい。人間にも名前があるね……」
KYOさん「生命？」
授業者「凄いのが出てきたね……生命、命！」
　授業者が「命」と板書する。
授業者「小さな毛虫にも命がある。人間と同じようにね！　こういうことを詩人のまどさんは考えているのかな……」
　学生たちがニコニコして安心したように聴いている。
授業者「だいたいこの詩のことがわかりましたね。最後に、朗読をしましょう。毛虫の気持ちになって朗読してください。散髪は嫌だという気持ちを表現してください。それから、他の人と違った朗読をしてください」
　このあと3分ほど、朗読の時間をあたえる。
　学生たちが順番に朗読する。ほかの人とは違った朗読をするようにと念を押していたので、学生たちは前の学生の朗読をよく聴いていた。学生たちは、怖くて怯えているような表現、ユーモアに朗読している人、とにかく急いで逃げようと焦っている様子を表現したりしていた。それぞれの発表の都度、学生たちは発表する学生におおいに賞賛をしていた。

横山芳春さま（その1）

你好！　昨日は東京で開花宣言があり、桜の季節を迎えています。仙台はまだこれから、もうしばらくかかりそうです。このところ暖かい日が続いたのですが、昨夜から気温低下、「寒の戻り」です。詩の授業の記録拝受しました。学生たちが喜んで挑戦している様子が目に浮かびます。授業批評は後日にさせてもらいます。と言うのは、私はこの詩一つだけでやるよりはまどみちおの同種のいくつかの詩を紹介しながらやる方法を考えました。ところが幼稚園長をしている長女が私の本棚からまどみちおの全詩集を持ち出していました。卒園式、入園式に使うためです。それでまどみちおの詩群を参照できないので今日は勘弁願います。

横山芳春さま（その2）

你好！　日曜日ですが、仙台はまだ寒の戻りの最中、冷たい風が吹いています。さて、遅くなりましたが、「ケムシの授業」の感想を送ります。「まどみちお全詩集」が手元に戻り、直接当たってみたらこれは予想通り、詩群の中の一つでした。「けしつぶうた」というまとまりのなかの一つですね。そうしたら教材としては「けしつぶうた」は無視してよいかどうか、微妙です。私ならどうするか考えました。ケムシを含めて最低3個、多くて5個選んで「けしつぶうた」の題で教材にすると思います。例えば「ノミ」、「もやし」、「けしごむ」などが候補です。そうすると授業には「作者＝まどさん」

が登場することになります。そうすればP226の発問「では、何が誰が散髪は嫌いと」は「けむし」ではなくけむしを見ている「まどさん」が浮かび上がり、すっきりします。また、P227の「では、ケムシ・―の〝―〟は何ですか」は発問として意味がないことがわかると思います。これは作者が詩群のとき、それを示している符号なだけで、意味はそれだけです。このように原作を生かすのでないと学生たちを混乱させることになるのではないでしょうか。再見。

横須賀　薫

まど・みちお「がぎぐげごのうた」の授業

火鍋通信１３５号（２０１９年４月16日）

がぎぐげごの　うた

まど・みちお

がぎぐげ　ごぎぐげ
がまがえる
がごがご　げごげご
がぎぐげご

ざじずぜ　ぞろぞろ
ざりがにが
ざりざり　ずるずる
ざじずぜぞ

だぢづで　どどんこ
おおだいこ
だんどこ　でんどこ
だぢづでど

ばびぶべ　ぼうぼう
のびたかみ
ばさばさ　ぼさぼさ
ばびぶべぼ

ぱぴぷぺ　ぽっぽう
はとぽっぽ
ぱっぽろ　ぺっぽろ
ぱぴぷぺぽ

N3クラスでまどさんの詩の授業。対象者は、Tさん、P君、T君、O君の4人。彼らは、昨年の9月から、この日本語センターで学んでいる。この学生たちは、今年の9月または10月に日本に留学する。

授業者が詩を板書し始める。学生たちに書き写すように指示。Tさんが、横書きにしているので、縦書きにするよう指示。

Tさんが、「これ習ったかな?……」とつぶやいている。

授業者「習ったの?」

Tさん「1年前かな、半年前かな……」
授業者「先週、女子高で音読していたでしょう……」
Tさん「あっ！　そうか！」
笑いながらいう。
実は、週1回、授業者はある女子高校で出張授業をしている。その女子校出身のTさんが、先週、一緒に女子校に付き添いで来てくれていたのだった。
授業者「全部書いたら、5回、音読してください」
一番に書き写したP君が大きな声で音読を始める。つづいて、Tさんも大きな声で音読を始める。
O君も声が大きい。T君だけが声が小さい。
授業者「O君、音読してください」
O君、音読。ガ行とダ行の濁音が清音になりがちになる。
授業者「T君、音読してみて」
T君が音読する。少々抑揚のない音読。
授業者「この詩を音読してみて、何が見えましたか」
O君「これ意味あるの？」
授業者「どうでしょうか……」
P君「五十音」
授業者「五十音ですか。おもしろいね」

Tさん「はとぽっぽ」
授業者「はとぽっぽ、何ですか」
Tさん「鳥です」
授業者「鳥ですね。鳩ですね」
Tさん「それと、声の単語……早口言葉……」
授業者「いいですね。後で考えよう」
O君「子ども」
授業者「子ども、いいですね。T君は、何が見えましたか」
O君「……何も……」
授業者「見えませんか？」
O君「はい」
授業者「P君、五十音が見えたんだね」
P君「はい」

授業者が、第一連を音読する。

がぎぐげ　ごぎぐげ
がまがえる
がごがご　げごげご

がぎぐげご

授業者「ここは、五十音の何ですか」
学生たち「……」
授業者「何行の音がおおいですか」
Tさん「ガ行」
授業者「そうですね。ガ行の音がすごくおおいですね」
　授業者が、第一連の下に「ガ行」と板書する。
　授業者が第二連を音読する。
授業者「ここは何の音がおおいですか」
Tさん「ザ行」
　授業者が第二連の下に「ザ行」と板書する。
　同じような作業を続けて、
第三連は「ダ行」(P君の発言)。
第四連は「バ行」(T君の発言)。
第五連は「パ行」(O君の発言)。
　授業者は、それぞれの連の下に、「ダ行」「バ行」「パ行」と記入する。
授業者「ところで、わからない単語があったらスマホで調べてもいいですよ」

ちょっとして、

授業者「ここで（第一連で）わからない単語は？」

Tさん「擬声語……」

授業者「何が擬声語ですか」

Tさん「がごがご　げごげご」

授業者「いいですねTさん、これらは擬声語ですね」

授業者が擬声語と板書する。

授業者「では、『がまがえる』は何ですか」

Tさん「蛙ですか？」

授業者「そうです。蛙です。ちょっと大きい蛙ですね」

Tさん「毒がある……」

授業者「かもしれません」

授業者「ここの（第二連）『ぞろぞろ』は何ですか」

P君「擬態語？」

授業者「そうですよ。よくわかりましたね。意味は何ですか」

Tさん「何匹も……くっついて……」

授業者「そうですよ。何匹も一緒に歩いている様子ですね」

授業者は、その図を描く。

授業者「ここで、ほかに擬態語はありますか」
P君「ざりざり　ずるずる」
授業者「そのとおりです。いいですね」
授業者「『ざりがに』は何ですか」
　P君が両手で挟みの真似をしている。蟹のように……。
授業者「それですよ。重慶の人は夏によく食べるでしょう！」
Tさん「赤いやつ……」
T君「たくさん食べてはいけない……」
授業者「どうして？」
T君「菌がいる……」
P君「よく料理するから大丈夫」
授業者「ここ（第三連）の、おおだいこ、は何ですか。O君？」
　O君がスマホをのぞきながら、なにかを言っている。横からT君が「おおきな太鼓」と教えている。
授業者「そう、おおきな太鼓ですね」
授業者「そうすると、『どどんこ』は何ですか」
O君「擬声語？」
　自信なさそうにいう。
授業者「そうですよ。よくわかりました！　太鼓を叩く音ですね。では、ほかの擬声語は」

学生たち「だんどこ、でんどこ」
授業者「ですね」
授業者「ここの（第四連）、『のびたかみ』は何ですか」
T君「髪です」
　彼は自分の髪の毛を触りながら発言。
授業者「それですね。では、『のびた』は？」
Tさん「これこれ……」。彼女は両手で何かが伸びるしぐさをしている。Tさん、笑顔でこたえる。
授業者「T君の髪は、のびた髪ですか？」
Tさん「ちがいます。（のびた髪は）長い髪です」
授業者「そのとおりですね。では、『ばさばさ、ぼさぼさ』は何ですか」
P君「擬態語？」
授業者「P君、よくわかっているね……『ばさばさ、ぼさぼさ』はどんな髪ですか。Tさんの髪は、『ばさばさ、ぼさぼさ』ですか」。（Tさんの髪は長い髪で櫛でよく梳かれている）
P君「ちがいます」
授業者「Tさんの髪はきれいですね。『ぼさぼさ、ばさばさ』は、手入れされていない汚い髪ですね」
授業者「では、『ぼうぼう』は？」
　学生たちが何か言っているが、日本語で表現できない……。
授業者「汚く伸びた髪ですね」

授業者が手振りを添えて説明。学生たちは、ばさばさ、ぼさぼさとの関連で理解した模様。
授業者「最後のところです。『はとぽっぽ』は、鳩でしたね。『ぽっぽう』は何ですか」
学生たち「擬声語？」
授業者「擬声語かな……」
授業者「では、『ぱっぽろ、ぺっぽろ』は？」
学生たち「擬声語？」「擬態語？」
授業者「たぶんみっつとも擬声語だと思いますが、ひっとすると擬態語かもしれません」
授業者「これで、全部意味がわかりましたね。T君、さきほど、この詩は意味があるのと訊いてました。意味がないですか」
T君「（笑いながら……）あります」
ここで、全員でもう一度音読する。
学生たちは楽しげに音読している。Tさんはリズムがいい。
授業者が、が、ざ、だ、ばと板書しながら、
授業者「さて、これらは何ですか」
学生たち「……」
すこしして、
T君「濁音」
授業者「そのとおり、濁音ですね」

「濁音」と板書する。

「か、さ、た」はと板書しながら、

授業者「じゃ、これは何ですか」

T君「清(きよ)い音(おん)」

授業者「清音(せいおん)ですね」

「ぱ」と板書しながら、

授業者「では、これは？」

T君「半濁音」

授業者「T君、よく知っていましたね。すごいですよ」

授業者「中国の人は、日本語の濁音と半濁音の発音が苦手ですね。中国語には濁音がないのでは……。さっき、O君が音読していた時も、ガをカ、ダをタと発音してましたよ」

P君「あるけど……発音がちがう……半濁音は（中国語に）少ない……」

授業者「さて、この詩には日本語の重要な特色があります。なんでしょうか」

すこしして、

T君「擬音語、擬態語がおおい」

授業者「その通りですね。日本語には擬声語や擬態語が実におおい。それが特色のひとつです。もうひとつ、この詩には日本語の、五十音の特徴があります。なんでしょう」

学生たち「……」

P君「濁音、半濁音があるけど、五十音だけ……」
授業者が、
「あ、い、う、え、お」と板書する。
授業者「ア行に……」
学生たち「……」
授業者「濁音はありますか？」
P君とT君が同時に「ない！　ない！」と発言する。
授業者「ありませんね。では、ほかに濁音のない行はなんですか」
学生たちが口々に、「ナ行、マ行、ヤ行、ラ行、ワ行」という。
授業者「では、ん、は？」
学生たち「ない、ない」
授業者「濁音のある行は？」
学生たち「カ行、サ行、タ行、ハ行」
学生たちが自信をもって発言している。
授業者「では、半濁音のある行は」
学生たち「パ行」
授業者「ほかの行は」
学生たち「パ行だけ！」

授業者「そのとおりですね。半濁音のあるのはパ行だけですね！」
授業者「この詩には、五十音の構造がわかるんですね。濁音のあるのはカ行、サ行、タ行、ハ行。半濁音のあるのは、パ行だけですね。この詩はそれを表現してますね。すごい詩です」
　学生たちも感心したような様子である。謎が解けたようなすっきりした表情である。
授業者「では、朗読して終わりましょう。擬声語などがたくさんあって楽しい詩です。楽しく朗読してください。O君、お願いします」
　O君が朗読。最初の音読よりはよくなってきたが、カ行とタ行の清音と濁音の区別が難しそうである。
授業者「Tさん、お願いします」
　Tさんが、とてもリズミカルに朗読してくれた。
授業者「いいですね。とても楽しそうでした。ではこれで、終わりましょう」
　授業が終わって、
授業者「今日の授業でどこが難しかったですか」
T君「き、と、て、の濁音（の発音）が難しい」
P君「半濁音が難しい」
O君「ガ行、ダ行が難しい」
Tさん「難しいところはなかったです」

横山芳春さま

你好！　面白い授業をありがとうございます。学生たちの日本語についての関心の持ち方に感心します。横山授業の成果なのか、はたまた正統派日本語教育の成果なのか、学生の自主勉強の成果なのか、いずれにしても心強いことです。

教材研究レベルのことになりますが、詩の各連の1行目は、が↓ご、ざ↓ぞ、だ↓ど、ば↓ぼ、ぱ↓ぽのようにア↓オで韻を踏んでいます。ただ面白半分に書かれているようでち密な計算が働いていることにも注意を向けてあげればもっとよかったかと思います。再見。

横須賀　薫

窪田空穂「其子等に捕らえられむと……」の授業

火鍋通信137号（2019年5月28日）

其子等に捕へられむと母が魂
螢と成りて夜を来たるらし
窪田空穂

今日は短歌を教材に授業。中級クラス5人が対象。
授業者が短歌を板書。漢字が多いので、ルビを振って板書する。ノートに書き写すことを指示。最初に書写したKさんが自主的に音読を始めている。つづいてP君も音読を始める。

授業者「短い歌だから、覚えてください」
学生たちが音読している。

授業者「Kさん、覚えたみたいだね。暗唱してみて……」
Kさんが暗唱を始める。考えながら暗唱している。

授業者「P君も暗唱してみて」
P君が詰まりながら試みている。

授業者「TI君、音読してみて」
TI君は、「む」が読みにくそうである。

授業者「『む』は『ん』と読んでもいいですよ」

授業者「みんなで、音読しよう」

学生たちと音読する。

授業者「この歌を読んで何が見えましたか」

学生たちがニコニコしている。W君がすぐに、

W君「母の幽霊？」

授業者「母の幽霊が見えるの？」

W君「はい」

授業者「母の魂（たましい）だね。幽霊に近いね」

Tさん「子どもたち」

P君「ホタル」

Tさん「何か捕らえている……」

授業者「何か捕らえている……それはあとで考えよう」

学生たちにはいろいろなイメージが浮かんでいるよう。いいことだ。授業展開があちこちに行かないよう注意が必要になっている。

授業者「他に見えたものはないですか？」

学生たち「ないです……」

授業者「では、わからない単語はありましたか」

W君「等（ら）？」

Tさん「それは『たち』です！」

授業者「そうですね。子供達の達ですね」
　板書の「等」のヨコに「達」と書く。
授業者「それから、『母が魂』の『が』は『の』と同じです。母の魂、ですね」
　板書の「母が魂」のヨコに「の」と書く。
授業者「成りて、は？」
K君「成って……」
授業者「そうですよ。ほたるに成って……」
授業者「『夜を』は『夜に』と同じです」
　「に」と板書する。
授業者「来たるらし、は？」
学生たち「来たらしい」
授業者「その通りです」
　いいテンポで進む。
　ここで学生たちともう一度音読する。
授業者「季節は？」
学生たち「夏」
授業者「どうして？」
学生たち「ほたる」

授業者「一日のいつ頃？」
学生たち「夜」
　P君が俄かに、
P君「む？」
　首をかしげている。
授業者「『む』は希望「欲しい」の意味です。だから……」
P君とTさん「捕らえて欲しい……」
授業者「捕らえて欲しい……捕まえて欲しい。そのとおり」
授業者「ところで、母は生きているの？」
「エッ！」学生たちから驚きの声が出る。
　Tさんが発言。
Tさん「母親は死んでいる」
授業者「どうして？」
Tさん「(死んでいるので) 捕らえられたい……」
Tさん「戦争で死んだ？」
授業者「母は戦争で死んだ？　どこに書いてあるの？」
　Tさんが苦笑い。
授業者「誰に捕らえられたいの？」

Tさん「子どもらに……」
授業者「子どもたちは誰の子ども？」
Tさん「母の子ども」
授業者「では、この歌の意味は？」
Tさん「子どもたちに捕らえられたいと、母が蛍（ほたる）になって来たらしい」
授業者「Tさん、素晴らしいね！」
Tさんがニコニコしている。

他の学生たちも顔を輝かせている。「凄いね……」と囁きあっている。

授業者がつぎのように板書する。

「子どもたちに捕らえて欲しいと、母が蛍（ほたる）になって夜に来たらしい」

授業者が右記の板書を指さしながら、
授業者「誰がこのように考えているの？」
P君「詩人が考えた」
授業者「その通りですね。P君、この歌は短歌だから、詩人とは呼ばずに歌人と呼びます」

短歌と板書する。
授業者「歌人と子どもたちとの関係は何ですか」
P君「（歌人は）父親」
授業者「いいですね。父親ですね」

授業者「そうすると、歌人と母との関係は？」
P君「夫婦」
授業者「そうですね」
授業者「ところで、子どもたちは何歳ぐらいですか」
　学生たちがざわつく。
Tさん「7歳から8歳」
P君「3歳から10歳」
TI君「5歳」
授業者「子どもたちは幼いのですね」
授業者「子どもたちは何人ぐらいですか」
P君「3人……」
　他の学生たちも頷いている。
授業者「では、なぜ歌人は、母親がほたるになって、子どもたちに捕まえて欲しいと考えたのですか」
　すぐに、
Tさん「子どもたちが悲しから、話をしに来た……」
P君「母親が子どもたちを近くで見たいから……子どもが好き。（子どもから）離れたくないのに、死んだから」
K君「日本では魂が虫になって帰ってくる……ほたるはみんなが好きだから……」

授業者「TI君の考えは？」
TI君「わからない」
授業者「W君は？」
W君「Tさんと同じ」
授業者「では、母は何歳ぐらいで死んだのですか」
　学生たちから「エッ」との声がもれる。意外な発問だったようだ。
K君「20歳」
　学生たちがざわつきだす。
P君「子どもたちの歳から、おかしいよ……」
Tさん「30歳くらい」
P君「28歳くらい」
授業者「TI君は？」
TI君「30歳くらい」
授業者「W君？」
W君「Tさんと同じ」
　TI君が、「おまえはいつもTさんと同じだね」とW君を冷かしている。
授業者「子どもの母親は30歳ぐらいで死んだ。若くして死んだんだね」
　ここで、休憩時間になる。

授業再開。休憩時間中に、板書の整理をする。「若くして死んだ母がほたるになって、子どもたちに捕まえて欲しいと夜に来たらしい」。なぜ歌人はそのように考えたのか学生たちの意見を整理する。

授業再開。
全員で音読。

授業者「ところで、ほたるを見ているのは誰ですか」
P君「子どもたちと父親」
授業者「子どもたちは、ほたるを捕まえたのですか」
W君「捕まえていない。見ている……」
授業者「なぜそう思うの」
W君「捕まえたと、書いていない……」
授業者「そうですね。捕まえたとは書いていませんね」
授業者「では、最後の問いですよ。もし、あなたが歌人だったら……幼い子どもたちを残して、妻が若くして死んだ、あなたならどう思いますか？　歌人だったら……」
P君「妻に会いたい……」
Tさん「悲しいけど、希望がある……」

授業者「希望があるの？」
Tさん「ほたるは光るから……」
W君「悲しい」
TI君「絶望」
授業者「K君は？」
K君「……」
授業者「K君はほたるがみんな好きだからと言っていたね……」
K君「みんなが（家族が）いい生活をしているか見たい……」
授業者「残した家族の生活の様子を見たいんですね。なぜ？」
K君「心配……」
授業者「若くして死んだ母親は、残した家族の心配をしているんですね」
K君「はい」
授業者「歌人の悲しさが、よく伝わってくる歌ですね」
授業者「これで、この短歌のこと、だいたい理解できましたね」
学生たちの表情は明るい。
授業者「この歌は短歌と言いました。短歌は、五七五七七の音で作る歌です」
「五七五七七」と板書する。
授業者「（指を折りながら）教材の短歌を音読する」

学生たちが熱心に聞いている。
Tさん「俳句？」
授業者「俳句は五七五ですよ」
「五七五」と板書する。
授業者「(指を折りながら) 古い池やかわず飛び込む水の音」と音読する。
Tさんが、すぐに「松尾芭蕉？」と反応する。
授業者「そうですよ。よく知ってますね」
Tさんがうれしそうにしている。
授業者「では、朗読して終わりましょう。歌人の気持ちになって朗読してくださいよ」
学生たちが練習を開始。
しばらくして、ひとりずつ全員に朗読してもらった。
さいごに、授業者も朗読。学生たちが暖かく拍手をしてくれた。

横山芳春さま

你好！　窪田空穂の短歌の授業記録を拝見しました。最初教材を見たとき、よくこれで授業できたと驚き、（結果について）心配しましたが、記録を読んだら学生たちが見事に歌の真髄を読み取っているのにびっくりしました。考えさせられました。〈まど・みちおより窪田空穂の方が分かりやすいのか〉という驚きです。やはり20代に入った学生たちの心情はもう大人なのですね。あるいは大人になったばかりの初々しさがこういう反応になったと思いました。反省させられました。Ｐ２５１真ん中の発問「ところで、母、生きているの？」はいささか誘導発問であり、泥臭いですが、この授業では喚起する力は強かったですね。お見事としておきます。「む」は「ん」と「読んでもいい」より、そう読むことを教えておいた方がよいでしょう。（久しぶりに上京し、関東方面で過ごし、昨夜帰宅したので返信が遅くなりました。）再見。

横須賀　薫

あらいたけこ「あいうえお」の授業

火鍋通信１３９号（２０１９年11月22日）

あいうえお　　あらいたけこ

おなかに　てをあて「あいうえお」
むねに　てをあて「あいうえお」
ほほに　てをあて「あいうえお」
みじかく　きって「あ、い、う、え、お」
すこし　のばして「あー、いー、うー、えー、おー」

では　もういちど
おなかに　てをあて「あいうえお」
「あいうえお」は
母音（ぼいん）といって、
日本の　ことばの　かあさんです

（初級クラス11人対象に、詩を教材に授業をした）

授業者が詩を板書する。学生たちに書き写すように指示。

S君が、「左から書いてもいいですか」と質問する。授業者は、右から書くように答える。少したって、授業者は学生全員が右から書き出して、縦書きにしていることを確認する。
授業者「みなさん、それぞれで読んでください」
学生たちが音読している。わりあい大きな声でハキハキと読んでいる。
授業者「Kさん、読んでみて」
Kさんが音読。「お」を「あ」と読んでいる。
授業者「Fさん、読んでください」
Fさんは、「あー、いー……」のところを、すこし伸ばしながら読んでいる。そのことについて、
授業者はFさんを褒める。Fさん、嬉しそう。
授業者「この詩を読んで、頭の中に何が見えてきましたか」
Tさん「日本のことばのかあさん」
Sさん「あいうえお」
授業者「そうですか。では『おなか』は何ですか」
学生たちが考えている。
S君が、腹に手を当てている。
授業者「S君、それですね。『おなか』は腹です」
授業者が漢字で「腹」と板書する。
授業者「『て』、は何ですか」
学生たちが、「て」といいながら、手を挙げる。

授業者「いいですね。それが手ですね」
授業者「では、『むね』は何ですか」
　Tさんが、胸に手を当てている。
授業者「Tさん、いいですね。そこですね」
　授業者が、「胸」と板書する。
授業者「ほほ、は？」
　学生たちが考えている。
授業者「（腹に手を当て）お腹、（胸に手を当て）胸、（頬に手を当て）ほほ」
　学生たちが頷く。授業者が、「頬」と板書する。
授業者「『みじかく　きって』の『みじかく』は何ですか」
　Sさんが、「長い……」と呟いている。
授業者「Sさん、そのとおり！　短い、長い。長いの反対が短いですね」
　授業者は、手ぶりを交えながら、「長ーい、短い」という。学生たち納得した表情。
授業者「では、『きる』は？」
　おなじくSさんが、手刀を作って何かを切る動作をしている。
授業者「Sさん、いいですね。切るですね」
　授業者は、「切る」と板書する。
授業者「『のばす』は何ですか」

Tさんが、両手で何かを伸ばす動作をしている。

授業者「Tさん、いいね！　それですね」

Tさんがニコニコしている。

授業者は、C君のジャンバーに付いているゴムひもを引っ張って、「伸ばす……」という。C君は、クラス一番のひょうきん者。そのC君が、キョトンとしてる。クラスの学生たちが大笑い。

授業者「では、『もういちど』は、もう一回ですね」

学生たち「はい」

授業者「母音は何ですか」

S君がすぐに、「あいうえお」という。

授業者「そのとおりですね」

授業者「日本語の母音は何個ですか」

S君「5個？」

授業者「そのとおり。5個ですね。あいうえお」

授業者「中国語の母音は何個ですか」

学生たちがそれぞれ、中国語の母音を発声し出している。

授業者「中国語の母音はとても多いですね」

学生たち「はい」

授業者「36個もあるんですね。だから、中国語には音がとても多い。日本語には音が少ない……日本語にない音が、中国語にはたくさんある。だから先生は、中国語が発音できない……」

学生たちが笑っている。

授業者「『おかあさん』、は何ですか」

学生たち「母」

授業者が「失敗は発明の母」と板書する。

授業者「失敗は発明の母といいます。母ということばの使い方ですね……」

学生たちは理解できた様子。

S君「日本語の母は『あいうえお』……」

授業者「S君、いいですね。母音は日本語の母なんですね。母音から日本語が生まれる……ということ」

授業者「では、もう一度、音読しましょう」

学生たち音読。当初よりもしっかりと発声している。しかし、何度から出てくる「あいうえお」はほとんど同じ発声。

授業者「1行目と2行目の『あいうえお』は同じですか？　同じ発音ですか」

授業者は、それらの「あいうえお」を指さしながら発問している。

C君「いっしょ……」

Tさん「ちがう……」

授業者「Tさん、何がちがうのですか」

Tさんが考えている。しばらくして、Tさんが、何かに気付いたような顔をする。

Tさんとその周辺の学生たちが中国語で盛んに話し合っている。
授業者「Tさん、どうしましたか」
Tさん「日本語がわからない（だから説明できない）」
Tさんは何かを説明したくてたまらない表情である。自分のもっている数少ない日本のボキャブラリーから、説明につかう言葉を探している様子。
授業者「だれか、Tさんの言いたいこと、代わりに話してくれませんか」
学生たちのだれも説明できない。だが、雰囲気は明るい。
すると、Tさんが、喉のあたりを押さえて、ここだというようなことを言っている。
授業者「Tさん、1行目と2行目を読んでみて」
Tさんが、音読。1行目と2行目の「あいうえお」の発声がちがっていた。明確ではないが、1行目はお腹から息を出して発声。2行目は胸から息を出しながらの発声のようだ。
授業者「Tさん、いいですね。1行目はおなかから息をだす。2行目は胸から息を出す」
授業者は、漢字で「息」と板書する。
授業者が、つぎの3行を音読する。
おなかに　てをあて　「あいうえお」
むねに　てをあて　「あいうえお」
ほほに　てをあて　「あいうえお」
1行目の「あいうえお」は、腹式呼吸で力強く発声。2行目のそれは、胸式呼吸で軽めに発声。

３行目のそれは頬から息を出し口先で可愛く発声。学生たちが大喜び。
授業者「では、『みじかくきってあいうえお』はどう読みますか。Sさん」
Sさんが、上手に短く切りながら「あ、い、う、え、お」と音読する。
授業者「では、『すこしのばしてあいうえお』は？　K君？」
K君がすこし伸ばした「あーいーうーえーお」を発声。
授業者「とてもいいですね。これで、この詩は理解できましたね。なにか、質問はありますか？」
学生たち口々に「ありません……」。
授業者「では、最後に朗読しましょう。練習してください」
「朗読」と板書する。学生たちが、朗読のための練習をしている。明るく朗読している。しかし、お腹から息をだす方法と胸から息をだすことが難しそうである。これはこれで別途訓練が必要であろう。しばらくして、
授業者「Sさん、朗読してください」
Sさん朗読。短く切るところと、伸ばすところはうまくできている。腹、胸、頬からだす「あいうえお」については、すこしの変化が感じられた。
授業者「Sさん、ありがとう。では、C君、朗読して」
C君、朗読。楽しそうに朗読してくれた。
授業者「最後は誰にしようかな……」
KさんとHさん「K君がいい」

K君は、バスケットボールがとても上手な大柄の学生。二枚目でちょっとはにかみ屋。K君が朗読。腹、胸、頬からの発声があまり変化しないので、もう一度朗読してもらい、授業者が彼の背後からお腹を押さえて、腹から息を出させながら発声させる。すると、学生たちが大笑いして、授業終わり。

横山芳春さま

你好！　授業記録が生まれるところまで前進したことに拍手です。記録を読んでとてもうれしくなりました。学生たちが喜んで取り組み、授業者も心はずませて対応していることがよくわかります。今は学習訓練の段階ですから、筆写も右から書くことをしっかり指示しておくことは大切です。なぜなのかもひとこと言っておきたかった気もしますが、この先でもいいでしょうか。漢詩は横書きしませんから、中国の伝統が縦書きなのです。Ｐ２６５、Ｔくんが「何か説明したくてたまらない」が日本語能力が届かないというのはよくわかります。だんだん進歩するでしょう。〈明るく、楽しく〉が一番！ぜひ詩は一つの道具、メニューと考えて適切に活用してください。
初雪もあり、朝の気温は７度くらいになる仙台より。再見。

横須賀薫

高柳重信「きみ嫁けり遠き一つの訃に似たり」の授業

火鍋通信１４１号（２０１９年12月６日）

N1N2試験対策クラスでの授業。学生数は4人。O君は、小学生のとき日本で2年間暮らした経験がある。R君は、2年前に偽学生で私のクラスに何回か聴講に来ていた学生。今学期に正規の学生になった。V君は、VIPで作文を指導している学生だが、漢詩が好きと言っていたので今回の授業に招いた。なお、このクラスでの詩歌の授業は2回目である。
授業者が、つぎの俳句を板書する。

きみ嫁けり遠き一つの訃に似たり　　高柳重信

授業者「ノートに書き写してください」
　学生たちが、書写を始める。V君が、横書きしている。
授業者「V君、縦書きにしてくださいね」
　V君が、すぐに縦書きに書き換える。
授業者「これは俳句です。それぞれで3回、読んでください」
　学生たちが読み始める。
Jさん「(漢字の) 読み方がわからない……」
授業者「間違ってもいいから、読んでみてください」
　学生たちが、この俳句を句切れなしに読んでいる。
授業者「この俳句を、どこかで切って読むとしたら、どこで切って読むかも考えて、読んでくださいね」

授業者「V君、読んでみて」
V君は、「きみ嫁けり　遠き一つの　訃に似たり」と読む。
「嫁けり」を「よめけり」、「訃」を「けい」と読んでいる。あとは正しい読み方をしている。
授業者「O君、読んでみて」
「きみ嫁けり　遠き一つの訃に似たり」と読む。O君も、「嫁けり」を「よめけり」と読み、「訃」を「ふ」と正しく読んでいる。
授業者「Jさん、読んでみて」
Jさんも、「嫁けり」を「よめけり」と読み、「訃」を「なになに」と読んでいる。「きみ嫁けり遠き一つの訃に似たり」と読む。
授業者「この俳句を読んで何が見えましたか」
O君がすぐに反応。「結婚は人生の墓……」
授業者「墓が見えましたか……」
O君が笑っている。
Jさん「女」
R君「結婚は旅みたい……」
O君「白い着物」
授業者「どうして？」
O君「結婚式で白い着物を着る……葬式で白い服を着る。そうだと思う……」

Jさん「ケーキ」
授業者「結婚式のケーキ？」
Jさん「はい」
V君「花。結婚式の花……」
授業者「いろいろ見えたみたいですね。ところで、『嫁けり』は『ゆけり』と読みます。意味は何ですか」
学生たち「結婚する」
授業者「そのとおりですね」
授業者「『遠き』は、遠い近いの遠いですね」
授業者「V君、『訃』は、『けい』と読みましたね。どうして？」
V君「計算の計に似ている……」
授業者「なるほど、そうだったんですか。この漢字は『ふ』と読みます。O君がそう読みました。O君……」
O君「中国と同じだから……死んだのを知らせる……」
授業者「O君、すごいね。そのとおりです」
授業者が、つぎのように漢字にルビをふる。

きみ嫁（ゆ）けり遠（とお）き一つの訃（ふ）に似（に）たり

授業者『「けり』ですが、『けり』は、何かを深く感じる、ということです。だから、ここでは、きみは結婚したんだな……と深く感じているんです」。学生たちが真剣に聞いている。
授業者「それと、『けり』はここで文を切るんです。ここで文をいったん、切ってしまいます」
（ここで、R君とJO君が教室に入ってくる。遅刻。その後、授業になかなか追いついてこれない）
授業者「『似たり』は似ているですね。そうすると、この俳句の意味は……」
　O君が勢いよく発言。
O君「（きみが）だんだん結婚していく。きみが遠くに行くみたいに思える……」
授業者「だんだん結婚する？」
O君「結婚の準備、場所を決めたり、日にちを決めたり……（結婚式にだんだん近づいていく）」
授業者「そういうことですか？」
O君「それは葬式みたい。（結婚式の）白い服は、葬式の服みたい……片思いの女。嫁になった。それは遠くからきた訃に似ている……」
授業者「ちょっと、待ってね。訃、死亡通知がきました」
　O君がおもいの丈をしゃべる。
　「訃」の横に「死亡通知」と板書する。
授業者「誰が死んだんですか？」
O君「きみが死んだ」

Jさん「きみが死んだようなもの……」
V君「自分の死。自分の愛が死んだ」
授業者「そうですか……わたしは違う考えですよ！」
V君がすぐに、
V君「先生の考えは？」
授業者「いっしょに考えていきましょう」
授業者「きみ嫁けりで、ここで俳句の意味が一度、切れます。終わります」
授業者は次のように板書する。

きみ嫁けり。——遠き一つの訃に似たり

授業者「きみが結婚したとだれかから聞いた。それは、遠い一つの知人の訃報に似ている、という意味なんです。だから、きみが死んだのではないですよ。知人が死んだんですよ」
学生たちが、納得したように聞いている。集中している。
授業者「結婚は幸福なこと。死は不幸なこと。その二つが似ているというのはおかしくないですか？」
V君「おかしいと思う」
授業者「ここが、この俳句の凄いところですね……考えていきましょう」
授業者「では、きみは誰ですか。語り手との関係は何ですか」

O君「片思いの人」
授業者「片思いの人は男ですか、女ですか」
O君「女」
V君「知人の片思いの人（女）」
授業者「Jさんは？」
Jさん「片思いの人（女）」
授業者「『遠き』の意味は何ですか」
O君「心の距離と物理的な距離」
授業者「物理的な距離？」
O君「遠くに住んでいる知人……」
V君「感情が遠い……」
授業者「感情が遠いとは？」
V君「長い間、交流していない……」
授業者「なるほど、昔はよく交流していたけど、今は交流しなくなった知人ということね」
V君「そうです」
授業者「Jさんは？」
Jさん「V君と同じ」
授業者「昔、交流していたけど、今は交流していない知人が死んだ。その死亡通知がきた。こういう場合、あなたたちはどう思いますか？　どんな感情になりますか」
O君「びっくりするけど、そんなに悲しくはない」
授業者「そうでしょうね。ちょっと心は動く、すこしだけ感情は動くだろうね。でもそんなに悲しくはならない……」
　学生たちは、集中している。
　学生たちが考えている。
授業者「そういった感情に、きみの結婚の情報が似ている！どういうこと？」
授業者「語り手は、今でもきみのことを好きですか？」
学生たち「好きじゃない」
O君「昔、好きだった」
授業者「昔、好きだった。片思いだった、あるいは恋人同士だった……とにかく、昔、好きだった人。今は、好きとかそういう感情はなくなっている」
　学生たちは、興味津々。明るい表情。
授業者「昔好きだったきみが結婚したということを聞いた。それは、今は親しくない知人の死亡通知を受け取ったことに似ている。きみの結婚はちょっとびっくりした。心が少しだけ動いた。だけど、そんなに悲しくない……」
　学生たち真剣に聞いている。
授業者「結局、この詩人は何を言いたいのかな？」

学生たちが考えている。

しばらくして、

授業者「語り手がきみのことを好きだったのは、何歳ぐらいと思いますか」

O君「20歳ぐらい……」

V君「18歳ぐらい」

授業者「では、語り手は、今、何歳ぐらいと思いますか」

O君「25歳」

V君「30歳ぐらい」

授業者「語り手は、18歳、20歳ぐらいのとき君のことが好きだった。青春時代だね」

「青春」と板書する。

授業者「語り手の今は……」

V君「青春は終わった……」

授業者「きみが結婚して、語り手の青春も終わった……ということかな……」

学生たちは明るい表情。

授業者「きみの結婚で、語り手の青春も終わった。もうきみのことは、完全に関係なくなった……ということかな……」

学生たちも頷いている。すこし難しい俳句だったが、そんなことは一向に気にせず、学生たちは最後まで集中している。

授業者「俳句は世界で一番短い詩の形です。5音7音5音の17音でつくる短い歌です。その短い俳句の中に、いろいろな意味が込められているのです。俳句は凄いですね」

学生たちも、頷いている。

授業者「では、朗読をして終わりましょう。語り手の感情を考えながら、そして、どこで、区切って詠むかも大事です」

学生たちが声をそろえて朗読しているので、

授業者「別々に、自分だけの読み方をしてください」

その後、学生たちがそれぞれ朗読して授業おわり。

横山さま

你好！「きみ嫁けり」の俳句の授業の記録を読みました。これはまたえらい難しい句に挑んだものと思いましたが、学生たちは意外と容易く読み取りましたね、驚きました。それは「嫁」「訃」の二字の漢字のおかげでしょう。前回の授業批評で私が言ったことは正しかったようですね。そうすると「きみ」と「作者」についての追及、ということになります。学生たちは、そして授業者も「きみ」のイメージは描けたようですが、「作者」のイメージは沸いてこなかったようです。P277「きみが結婚して、語り手の青春も終わった……ということかな……」で「学生たちは明るい表情」と「めでたしめでたし」でいいのでしょうか。わたしなら、ここで「そんなことを詩にするものかな」とか「そんならどうして俳句になんかしたの」と切り返します。授業はそこから始まるようなものですよ。いわば「男の未練」がテーマでしょう。もちろん実際のその授業がそうならなかったことを責めているわけではありません。授業者がそこまで読み込んでいてたら、この句で授業する気になったかどうか疑わしいと思うので、一言言いました。再見。

横須賀　薫

横須賀先生（授業者の応答）

「嫁」と「訃」の漢字を頼りに、学生たちはこの俳句にアプローチできました。先生の前回のご指摘どおりでした。これらの漢字が「ひらがな」だったら、入り口で立ち往生していたかもしれません。

授業の終了後、Ｊさんと「おとこは、終わった恋でもいつまでも覚えている。女性は違うでしょう。きっぱり忘れる（これは偏見かも）。この俳句は、おとこはこういうものということがわかるね……」と雑談しました。うすうす「男の未練」について、授業者は気付いていたのではないかと思います。では、なぜ、そこを追求していかなかったか？（先生のご指摘の通り）この俳句が難解だから……無意識的にそれを避けていたのではないかと、今となって気付かされています。

ありがとうございました。

室生犀星「ふるさと」の授業

火鍋通信１４２号（２０１９年12月26日）

ふるさと　　室生犀星

雪あたたくとけにけり
しとしとしとと　とけゆけり

ひとり
つつしみふかく
やわらかく
木の芽に息をふきかけり

もえよ
木の芽のうすみどり
もえよ
木の芽のうすみどり

日本語能力試験対策クラスで、詩の授業をした。参加者は、R君、Jさん、RY君とG君。

授業者が詩を板書。学生たちが、書き写している。

授業者「書き写したら、3回読んでください」

学生たちが音読している。

授業者「G君、読んでみて」

G君が音読。「雪」を「あめ」、「やわらかく」を「かわらかく」と読んでいる。

授業者「Jさん、読んでみて」

Jさんが、文字を正確に読んでいる。

授業者「この詩を読んで、頭の中に何が浮かびましたか。何が見えましたか」

R君「春」

G君「なえぎ」

授業者「なえぎ？」

G君「木の芽」

GY君「雪が溶けていく景色」

Jさん「冬休みが終わって見た感じ」

R君「みどりの木の芽」

RY君「ひとりって誰？」

授業者「それは、あとで考えよう」

授業者「『あたたかく』を漢字で書くとどうなりますか」

ＲＹ君がなにか言いたそう。

授業者「『あたたかい』を漢字で書いてください」

ＲＹ君が、前に出てきて「暖」と書く。

授業者「他の人は？」

のこり３人が「同じ」と言う。

授業者「何が暖かいの？」

ＲＹ君「日差しが……」

Ｒ君「大気が暖かい」

授業者「そうですか。温かいという漢字もありますよ」

「温かい」と板書する。

授業者「この温かいの場合は、何が温かいのですか」

ＲＹ君「体温」

授業者「そうですね。体温が温かい」

授業者がＲＹ君のを触りながら、温かいと言う。学生たちが笑う。

授業者「温かいは、体温が温かいとか、水が温かいとか、ですね」

授業者「ここでは、何があたたかいのですか」

学生全員「空気！」

授業者「ここは、雪が温かくとけている……ということで、文法的には『温かく』だと考えられますよ」

学生たちが理解できない様子。
授業者「雪が温かいなんて、ちょっと理解しずらいですね。でも、ここは雪が温かい。北国の人たちの考えかな?……じつは、先生もよく理解できないんです」
授業者「『とける』は何ですか」
Jさん「氷がとける……水になる……」
授業者「その通りですね」。溶けると板書する。
授業者「『けり』は、深い感動を表しています」
「深い感動」と板書。
授業者「『しとしと』は何でしょうか」
学生たち「……」
授業者「これは、擬態語ですね。ふたつの意味があります。ひとつは、静かにゆっくりと。ふたつめは、雨が静かに降る」
授業者が、「擬態語」と板書し、さらに、
「①静かにゆっくりと。」
「②雨が静かに降る。」
と板書する。
授業者「どちらでしょうか」
R君「静かにゆっくりと……」

授業者「他の人たちは？」
全員「静かにゆっくりと」
授業者「そうすると、第一連はつぎのような意味ですね。雨は降ってないようですから」
　つぎのように板書する。

　雪が温かく溶けている。しとしとしとと静かにゆっくりと溶けていっている。

授業者「『つつしみふかく』は、つつしみ＋ふかく。とても注意深くという意味です」
「つつしみ＋ふかく」、と板書する。
授業者「やわらかくは？」
Ｊさん「堅い、柔らかい……」
授業者「机は堅い、肌は柔らかい」
　授業者は、机をたたきながら堅い、肌を触りながら柔らかいと、説明する。
授業者「それと、ここでの『やわらかく』は、やさしくという意味ですね」
　学生たちが頷く。
授業者「『木の芽』は？」
ＲＹ君「木の葉？」

授業者「あたらしく出てきた葉とか花ですね」
授業者「では、息は？」
Jさんが自分で息を吹く素振りをする。
授業者「Jさん、それですね。では、つつしみふかく、やわらかく、木の芽に息をふきかけてください」
Jさんが、両手で水を掬うような形をつくり、そこにやさしく息を吹きかける動作をしてくれた。
授業者「Jさん、いいですね。そんな感じですね」
Jさんがニコニコしている。
授業者「そうすると、第二連はつぎのような意味ですね。ひとりとても注意深く優しく木の芽に息を吹きかけた」
授業者「では第三連のもえよ。『もえる』ですが、これは芽が出るという意味です」
「もえる＝芽が出る」、と板書する。
授業者「では、『よ』は何ですか」
学生たち「……」
授業者「勉強せよ！」
R君「命令！」
授業者「その通り。命令ですね。芽を出せ！　と命令していますね」
学生たちがよくわかった様子。
授業者「うすみどり、は何ですか」

Ｊさん「うすい緑色」
授業者「そうですね。うすい緑色ですね。そうすると、第三連の意味はこうなりますね」
　芽を出せ！　木の芽の薄緑。
　芽を出せ！　木の芽の薄緑。
授業者「では、ここで休憩にしましょう」
　１時限目、終了。

　２時限目開始。
授業者「まず、音読しましょう」
　学生たちが、当初よりも自信を持った読み方をしはじめている。
授業者「ところで、雪は見えますか。雪はありますか」
ＲＹ君「ある」
Ｒ君「残っている」
授業者「他の人は？」
　Ｊさん、Ｇ君も「ある」と言っている。
授業者「雪があるという根拠は何ですか。理由は？」
ＲＹ君「(雪は)一気になくならないから……」
Ｒ君「しとしとと溶けているから……」

授業者「いいですね。雪がしとしとと静かにゆっくりと溶けている。だから、雪はあるのですね」

学生たちが頷く。

授業者「では、誰が木の芽の薄緑に息を吹きかけているのですか」

学生たちがしばらく考えて……。

RY君「子ども」

Jさん「作家」

授業者「Jさんは作家、語り手なんですね」

Jさん「はい」

R君「ふるさとの人」

授業者「それは、おもしろいね……」

RY君「子どもの愛情だから……」

授業者「それぞれの理由は何ですか」

Jさん「(雪の溶けるのを)見た後に書いているから……」

授業者「なるほど」

R君「題が『ふるさと』だから……ふさるさとの人が出てこないとおかしいから……」

授業者「RY君、この詩に子どもが出てきますか」

RY君「出てこない」

RY君、違ったかな……という表情をしている。

授業者「R君、Jさんの考え、語り手が息を吹きかけたに対して、どう思いますか」
R君「……」
授業者「Jさん、R君の考え、ふるさとの人が吹きかけた、についてどう思いますか」
Jさん「(ふるさとの人についての)説明がない……だから違う」
授業者「ひとり、は誰ですか？　RY君の疑問だね」
Jさん「語り手」
R君「語り手かな……」
授業者「語り手でしょうね。だから、息を吹きかけたのは語り手でしょうね」
授業者「ところで、『もえよ』は誰が、何に誰に、命令しているのですか」
RY君「語り手が木の芽に」
R君「語り手がふるさとの木に……」
G君、Jさん「R君とおなじ」
授業者「そうでしょうね」
授業者「では、どうして2回も『もえよ』と命令しているの？」
RY君「一刻も早く出てこいと……」
Jさん「(RY君と)おなじ」
R君「自分のすべてを吐き出したい……一回では足りないから」
授業者「そうなんですか……」

授業者がすこし考えている様子。

授業者「ところで、息を吹きかけた時の木の芽の状態は？　形は？」

学生たちが考えている。

授業者「木の芽の状態は３つあります。もえる、めぶく、めぐむ」

つぎのように板書する。

①もえる（芽が出て伸びる）

②めぶく（芽がいきおいよく出る）

③めぐむ（芽がすこしふくらんで出かかる）

授業者「ＲＹ君、もえる、めぶく、めぐむの絵を描いてくれる」

ＲＹ君がそれぞれの絵を描く。

授業者「これでいいですか」

Ｊさん「違う」

授業者「Ｊさん、描いてみて。Ｊさんは、絵が専門だから上手だと思うよ」

Ｊさんが、笑いながら前に出てきて絵を描く。

授業者「ありがとう。では、語り手が息を吹きかけたのは、①ですか、②ですか、③ですか」

学生たち全員が、③と言う。

授業者「③ですね。めぐむ、芽がすこし出かかっているときに息を吹きかけたのですね」

授業者「『雪あたたくとけにけり』の『けり』は深い感動でした。なぜ、語り手は、深く感動しているのですか」
Ｊさん、ＲＹ君「いよいよ春が来たから」
Ｒ君「つらい冬が去り、つらい生活が終わり、よい生活が来る」
授業者「Ｒ君、いいね……」
ＲＹ君「農家の人だから……」
授業者「農家の人は春が来ると感動するの？」
ＲＹ君「はい……」
授業者「春になると、農家の人は農作業の仕事が始まる……農家の仕事は結構たいへんでは？　春に

左側の芽がＲＹ君が描いたもの。
右側がＪさんが描いたもの。
なお、③は、めぐむ。②は、めぶく、
①は、もえる。

なると感動するの？」
ＲＹ君「どうかな……」
授業者「もう一度ききますよ。『もえよ』は語り手が誰に何に命令しているのですか」
Ｊさん「自分に対して命令している」
授業者「ほーそうですか。そう考えた理由は？」
Ｊさん「……」
Ｒ君「（語り手の）今の生活や人生は、あまりよくない。それをよくしたいと……自分にも、もえよと言っている」
授業者「なるほど」
授業者「では、語り手はどこから息を吹きかけていますか。距離は？」
ＲＹ君「10センチくらいの距離（から）」
Ｒ君「遠い（ところから）」
Ｊさん「５メートル」
授業者「Ｊさん、５メートルの距離から、つつしみふかくやわらかく、息を吹きかけてみて……」
　Ｊさんが、息を吹きかける動作をする。
授業者「Ｊさん、息は木の芽のうすみどりに届きましたか？」
　Ｊさん、笑いながら「届かない」
授業者「ＲＹ君、10センチの距離から息を吹きかけて……」

RY君が、やわらかく息を吹きかける。
授業者「届きましたね！」
RY君「はい！」
授業者「R君、遠いところからとは、どこから？」
R君「語り手は（木の芽の）目の前にはいない。木の芽はふるさとにある。語り手はふるさとにいない……」
授業者「すごいね！　どうしてそう考えているのですか」
R君「木の芽の目の前にいるのなら、美しくない」
授業者「なるほど。すごい考えだ」
授業者「語り手はどんな人生を送ってきたと思いますか」
R君「つらい人生」
授業者「素晴らしい考えですね。ふるさとを思い出して、遠くから木の芽のうすみどりに、つつしみふかく、やわらかく息を吹きかけているのですね。芽が出ろ、そして自分も幸せになれと語りかけているのですね」
R君「そうです」
　ほかの学生たちも共感している様子。
授業者「だいたいこの詩の意味がわかりましたね」
学生たち「はい」

授業者「では、朗読して終わりましょう。この詩、覚えたほうがいいね。ちょっと時間をあげますから、覚えてください」

学生たちが、詩を読みながら記憶していっている。

しばらくして、

授業者「覚えた人？」

R君「たぶん」

授業者「では、お願いします」

R君が板書を見ないで、朗読する。つづいて、Jさんがすこし詰まりながら暗唱。RY君、暗唱。G君は、板書を見ながら朗読する。

授業者「では、これで終わりますが、まだ何か聞きたいことはありますか？」

R君「この詩人は何時の時代の人ですか」

授業者「室生犀星は、今から100年以上も前、明治時代に生まれた人です。じつは、下女……わかりますか？」

R君「わかります」

授業者「下女に産ませた子なんです。それで、生まれてすぐに養子に出されます。母親は、追い出されます。室生犀星は両親の顔を知らずに育っていくのです。とても不幸な人生を送りました……」

聞きながらR君が涙ぐんでいる。

授業者「授業はこれで、終わりです」

横山芳春さま

你好！　火鍋通信142号所載の「ふるさと」の授業記録を拝見しました。学生たちが一生懸命読解に挑んでいる様子は敬服します。Ｐ294の授業者「だいたいこの詩の意味が分かりましたね」とある通り、学生たちは異国の様子が十分わからない中でよく読み取ったと思います。

Ｐ291の「①もえる②めぶく③めぐむ」の違いはよく理解しているようですが、これは時間の経過の違いであることが分かればもっと簡単に理解できたでしょう。3↓2↓1なのです。

詩の題が「ふるさと」であることは重要です。日本には「雪国」という言葉があり、狭い国土にかかわらず雪が積もるほど降る地帯とほとんど雪が降らない地帯とに二分することはこれから日本に留学する可能性のある学生に知っておいてほしいと思いました。人々が集まる東京、大阪は後者の地でここから「雪国」であるふるさとを思うという図式が分かるとこの詩も理解しやすいでしょう。室生犀星のほかの詩（例えば「故郷は遠きにありて思うもの」）を助けにするのもいいでしょう。

横須賀　薫

横須賀薫先生（授業者の応答）

おはようございます。ご批評、ありがとうございました。

1．もえる、めぶく、めぐむ。

授業をしながら、説明の順番を間違えているな……と気付きました。ここで、もう一度説明しなおすのも煩雑になるな……と考え、続行しました。ご指摘の通り、時間の経過を踏まえた説明をすべきでした。こういった場合、（授業中に）時々しています。

こういった経験を、（基本的に）説明をやり直すほうがよろしいでしょうか？

2．「ふるさと」について。

雪国ということば。日本の詩には、雪に関するものがとても多いですね。日本文化の重要な一角に雪国あり。ふるさとの構図、勉強になりました。外国人にはぜひ理解してもらいたいことでした。以上、ありがとうございました！

日本はとても寒いようですが、ご自愛ください。

よいお年を。（今日、新年のお祝いをしてくれるそうで、学生たち4人が我がアパートに来ます。中国の新年に食べる餃子を作ってくれるそうです）

横山芳春さま（横須賀薫先生の応答）

你好！「説明をやり直すか、どうか」という問題は一概には言えませんね。その学級で、この教材をということがまず大前提の問題ですから、この授業が「木の芽の開く時間の経過を示す日本語の存在」を主要テーマに設定していたかどうか、もしそうなら何としてもやり直すべきでしょうが、私にはそうとは言えないと思います。私ならこの学級（推測）で、この教材なら「ふるさとという言葉には、生まれて育った地を離れた人間がその地にかける思いがこもっている」ということの読み取りに限定するでしょう。それなら「もえる」に深く入る必要はなくなります。一方、「ふるさとは遠くにありて思うもの」へつながります。これから生国を離れて異国へ向かおうとする若者へ送るべきメッセージはこれでしょう。こんな風に思います。学生たちが新年を祝ってくれる、それも手づくり餃子で、とはなんとうらやましいことか！

良いお年をお迎えください。

横須賀　薫

横須賀薫先生（授業者の応答）

おはようございます。

①「木の芽の開く時間の経過を示す日本語の存在」は主要テーマではなかったので、やり直しは必要なかったですね。学生には、分かりずらい説明で、申し訳なかったですが。

②「これから生国を離れて異国へ向かおうとする若者へ送るべきメッセージ」。今回の授業の角度を明確にしてくださいました。ありがとうございました。

我がマンションでの新年会の写真を数枚送ります。男子学生がとても働きました。何回もの買い出し、コーラ煮のチキン料理、最後の洗い物からゴミ出しまで。こういうところ中国らしいです。

解説　横山芳春さんのこと、『火鍋通信』のこと

横須賀　薫

民間人校長を了えて

この本は横山芳春さんの三冊目の教育実践記録である。

一冊目が『１０００の子どもに１０００の可能性　～民間人校長の可能性を開く授業づくり』（二〇〇七年 ジアース教育新社）で、二冊目が『体当たり校長の学校づくり　～8年間のニューズレター』（二〇一二年 春風社）である。

横山さんは、二〇〇四年に沖縄県の民間人校長の第一号として那覇市立宇栄原小学校の校長となり、五年間在任して二〇〇九年四月に宜野湾市立長田小学校に転じた。二つの学校で授業研究と表現活動の活性化に取り組み、学校公開研究会を開いてその成果を公表している。この研究活動に私も招聘講師の一人として加わった。このとき前記二冊の実践記録にも「解説」を書かせてもらったので、この「解説」は三回目ということになる。

二冊目の本の「解説」の巻末でこう書いている。

「昨年末から今年（二〇一二年）の正月にかけて、私は横山さんから長田小学校の四年目、そして定

年を迎えて最後になる五年目の研修と行事の計画を相談されていた。その内容はこれまでと大きく変わるものではなかったが、それをさらに本格化させ、学校公開研究会を全国規模で開催することを大目標に置いていた。私はそれを成功させることで横山芳春の教育業績として広く社会に打ち出したいと考えたのである。（中略）

三月七日、（私が）大学にいるところへ転勤の内示があったという知らせが横山さんから私の携帯電話に入ったのだった。驚愕し、力が抜けていく思いだった。そして私以上に横山さんが落胆し、教職の世界に絶望するのではないかと危惧したのだった。

しかし、年度替わって新しい学校に赴任した横山さんはそれまでの学校のときと同じように「学校づくり」に歩み出すのだった。この意志の強靭さと楽天性に横山芳春の本面目を改めて知らされる思いだった。」

教職の世界にある慣行、というより美風の一つに校長が定年退職するときはその住居に近い学校か出身地の学校で迎えさせるということがあるのを横山さんが知らなかったのは当然として、ある程度教職世界に通じていた私が気づかなかったのは失策だった。定年定職を目前にして二〇一二年四月に住居地に近い豊見城市立座安小学校に転じて二年校長を務め退職している。このときも横山さんは全校での授業研究に取り組もうとして、私も講師に招聘されたが、研究活動は本格的に進まないまま退職を迎えた。私は横山さんの研究意欲が不燃焼のまま終わるのは残念だと思った。

そんな気持ちで見ていた所へ横山さんからどこか大学で教える機会がないかと相談された。校長が退職した場合、教育委員会なり校長会が、次の職をそれなりに用意するのがよくあることと私の周りの事例では知っていたが、横山さんがどうだったのか聞いていない。民間人校長として鳴り物入りで迎えられたとしてもそこはそれ、別扱いだろうと思い、大学関係で一仕事する方が横山さんに合っているだろうと考え、その紹介を引き受けたのだった。

一方、私は横山さんの海外通にも頭を下げていた。学校が長期休暇になると必ずどこか海外の地へ出向くのには驚かされていた。私も海外の地には興味があり、行ってみた地はいくつかあったが、長期休暇には必ずなどとは思いも及ばなかった。それで横山さんは日本の大学のどこかよりも海外の大学がふさわしいと考えたのだった。知人の何人かに紹介を頼んでいたところ、中国の重慶にある四川外国語大学（以下、四川外大）で日本語を教える仕事が紹介され、横山さんもぜひそうしたいと応じることになったのだった。

ちなみにこの大学には私が勤務していた仙台の宮城教育大学にこの大学で最初の中国人留学生として来学した羅国忠さんがいて、羅さんとは彼が帰国してからもさまざまなことで長い交際をしてきた。これは横山さんにとっても都合がよいことで、重慶は横山さんが仕事するには格好の地と思えたのだった。

「火鍋通信」のこと

四川外大の日本語センターで、横山さんはこれから日本に赴く予定の中国人学生に対して日本語を教えることになったのだが、そこで日本語の詩を教材に取り上げ、熱心に授業に取り組むことになった。教材は正確に言えば詩が多かったのだが詩だけではない。むしろ短詩型の作品を教材に、という方がよいのだが、横山さんはわかりやすく「詩の授業」と呼んでいて、私もそれに従うことにする。

そして四川外大に着任すると同時に始めたのが「火鍋通信」の刊行、配布だった。横山さんは日本にいる友人、知人らに宛て、重慶での生活の様子、中国人学生への授業の様子などを、感想を含めてワープロで綴り、それを電子メールとして配布してくれるようになった。私も最初からの読者で、各号すべて保存し綴ってある。

今、それを見直すと第一号は二〇一四年一〇月二六日の刊行、最終は二〇一九年十二月二十六日付けの一四二号になる。五年半の間にこれだけの通信の刊行はなみたいていのことではできない。その熱量には感服せざるを得ない。しかもその通信を「火鍋通信」と名乗ったのもその地になじみ、そこに集まっている学生を愛する横山さんの心情がよく出ていて、横山さんらしいのである。火鍋料理は世界でも有数の辛い料理だが、横山さんはそれを料理として愛したのか、あの辛味に当地での生活の厳しさを暗示しようとしているのか、それはまだ聞いていない。

本書に掲載されている詩の授業の記録二〇篇は、一七年四月の九二号に掲載されたものが最初で、このように授業の進行を克明に伝える形になったのがこの少々前からのことで、それ以前は授業の概略や事前の準備、あるいは学生の様子などを中心にした記述になっている。ちなみに私が学生の発言や様子が克明に記録され、それに対して私が批評を送るようになったのもこのころからだったと思われる。

だから「火鍋通信」を見返して詩の授業の実施だけを数えることはちょっと困難だが、推計すると一〇〇回前後にはなるのではないだろうか。本書ではそれから二〇回分を選んでいることになる。私も授業記録が届いたら必ず感想や批評を送ると約束したはずで、それが横山さんの授業活動と通信活動を支えることになるのならばうれしいと思い、それなりに努力をしてきたのだった。もちろんそれは私の専門の仕事にも寄与することになったのだったが。今、ゲラで「你好！」に始まり「再見」で終わる批評を読み返すとその時のことを思い出し、あらためて電子メールを受け取ると短時間で授業記録を読み、すぐさまその授業のよいところと問題点を批評した緊張感が甦ってきて懐かしい気持ちがわいて来るのだった。

なぜ「詩の授業」なのか

それにしてもこれから日本に留学する学生たちの日本語教育として、なぜ「詩の授業」が選ばれたのだろうか。横山さんは本書の「はじめに」で「詩の授業に魅せられて」だと書いている。

宇栄原小学校の校内授業研究会では斎藤喜博に私淑した教師や研究者が現職の教師たちの授業への批評に当たるとともに自身で授業する機会もよくあった。私も実際に子どもたちに授業をしている。そしてそのときに使われる教材はしばしば一つの詩であり、俳句や短歌だった。現職の教師の練習授業でもたいてい同じだった。横山さんは校長としてほとんどそういう場に立ち会っていたが、それは観察者であり、監督者としてだった。私は横山さん自身が「詩の授業」をやったのを見た記憶はない。また、教師や研究者が「詩の授業」をやり、事後の批評会を開いたときでも横山さんはあくまで校長の立場を守っているようで、積極的に発言することはなかった。しかし、私には横山さんが「詩の授業」になみなみならぬ関心をもち自分でもやってみたい、自分にもやらせてほしいと内心思っていることは手にとるように伝わってきた。会が終わりかけたとき、横山さんが今にも「今度、自分にやらせてくれないか」と言い出しかけている顔を今でもくっきりと思い出す。でも私はそれを勧めることはしなかったし、そうする気はなかった。校長は校長の役目を全うすべきだと思ったからだったが、もう一つ横山さんが「詩の授業」に過剰な期待、思い込みをもっているのでないかと危惧し、その学校で指導的立場にある人がその考え方で部下の職員に臨まれることを避けたいと考えたからだった。

なぜ「詩の授業」なのか、詩など短詩型文学の作品を小学校の授業で用いるのか。私の答えは「教材が短くて便利だから」である。身も蓋もない発言であるが、私は本気でそう思っている。

学校の外部から研究のために参加する立場の人間にとっては長くても二泊三日の研究会がせいぜいだから、長文の物語教材などは扱い難い。この続きは来週また、というわけにはいかない。一時限で完結する授業活動にとっては、国語の場合短詩型の作品が便利であり、大切になるのだった。

四川外大での日本語教育がどのような体系で、どのような内容構成をとっているのか、横山さんがどの部分を分担しているのか、ある程度想像できるが詳細はわからない。「詩の授業」で大丈夫なのか、心配したのが今なら言う本音だった。とは言え仙台と重慶ではそんな重要なことを助言する手段もなかった。

それはそれとして「詩の授業」に懸ける横山さんの思いは、前記したようになみなみでなかったから私の忠告などは耳に届かなかったに違いない。

「詩の授業」の役割

「火鍋通信」によって送られてくる詩の授業の記録を読み、約束に従い批評を返信しているうちに私は自分の考えが間違っていたのに気づくことになった。「詩の授業」、つまり詩など短詩型の文学作品を教材とすることには私が言う「短くて便利」などという利点を超えて、もっと大切な役割に応えるものがあったのだ。それは「心情の交換」だった。

短詩系の文学は作者の想いによって成り立つものであることはことさら言う必要もないだろう。そして短詩系では作者は「説明」をすることはしない、いや、出来ないのだ。そんなことしていたら短詩型ではなくなってしまう。いわば作者の「心情の缶詰」が詩であり、俳句であり、短歌なのだ。短いだけでなく、想いがぎゅっと詰まっているのだ。授業はそれをほどいて行くことで作者の心に触れるのである。

さらに大事なことは、授業というものをどう考えるかということとも関わる。一つの立場はその教材が含んでいる内容、価値を（小、中学校なら）子どもたちに伝える役割を果たすのが授業だとするもの、もう一つはその教材をはさんで教師と子どもが対話することに価値を見出す立場で、それには短詩系の文学は大切な役割を果たす、とする授業観である。もちろんこの二つは完全に対立するものではないが、実際の授業の構成や展開の違いを生み出すことが多い。そして前者のような授業観こそが通常の学校の授業を支えているものであり、後者は特別な考えや環境の下で成り立っているものである。斎藤喜博の授業観はこの典型なのである。

斎藤喜博が研究授業で短詩系の教材を使うことが多いのは、いろんな事情に左右されてのことでもあるがこうした独特な授業観によっていることなのである。

横山さんがこの問題に自覚的だったかどうかは別として、二つの学校で自身が組んだ招聘研究陣が持している独特な授業観によって実施された授業に実際ほれ込み、自分もやってみたいと思ったその思いが海を越えて中国重慶の大学の日本語教育において実現することになったのだった。

横山さんの授業記録をぜひそういう目で読んでほしい。また私の授業批評をそのようにして検討してみてほしい。

学生との心の交流

今言ったように授業を教材をはさんで、否、言ってしまえば教材を活用して教師と児童・生徒の心を交流させることだとすれば、それを支えるのは両者の解放された心情同士以外にはないのである。これは絶対条件である。

横山さんは意図することなく心を鎧うことをしない。それが自然にできる稀有な人である。「火鍋通信」第二号は「孫悟空は20元」という題で書かれているが、これは重慶到着の四日目に学生たちが歓迎のために「磁器口古鎮」という観光地へ案内してくれた記事で、横山さんが縫いぐるみの孫悟空と一緒にうれしそうに写っている写真が載っている。学生たちが歓迎会をしてくれたのは私の友人羅さんが学生たちに勧めてくれたからで当たり前のことだが、この写真の横山さんは本当にうれしそうにほぐれて写っている。到着四日目とは到底思えない。これで学生たちは今度来た日本人教師に安心し、友達の一人に思えるようになったに違いない。これは横山芳春の最大の美点である。そしてこれは授業過程の随所にみられることでもある。

詩をはさんでの教師と学生たちの心の交流は、横山さんの自然体で、学生たちに抱くまっすぐな愛情抜きには成立しないものである。

一つ付け加えると、この「詩の授業」で使われている教材は細かい出典などは記されていない。もし作品についてしっかり教えたいと思えばそれは必要なことであり、大切なことであるが、それを一つの手段として学生と心の交流をつくりたいと願う横山さんからすればそれは二の次になる。私もそれを許容したい。読者の寛容な理解も期待したい。

おわりに

横山さんの中国での授業はコロナ禍によって中断してしまい、そのままである。再開できるかどうかも、もしそうならいつの日から可能なのか全く不明である。残念であるが今は世界中がそのようになっているわけで耐えることが必要である。もし早期に横山芳春の中国での「詩の授業」が再開されたならば、新しい地での学生との心の交流が実現し、その記録に私たちも接することができることを期待したい。

おわりに

まず重慶の学生たちにお礼をのべます。詩や短歌を教材にした授業で交流できたこと、とても幸福でした。おかげで、校長時代に溜まっていた疲れはしだいに取り除かれていきました。

横須賀氏と長年来の交流がある羅国忠氏（四川外国語大学教授）は、なにかと重慶でのわたしの生活の面倒を見てくださいました。事あるごとにごちそうになった四川料理の味は忘れられません。

国際教育学院長の曽佳芳氏、郝志強氏（当時日本語センター主任）、陳薪宇氏（同教務主任）、劉文佳氏（同スタッフ）、夏娥先生（同教師）、孟霞氏（北京平成日本語学校スタッフ）には入国ビザの発給手続きや、授業のこと、事務的なこと、住まいの手配など生活面などでたいへんお世話になりました。継続教育学院の龐利先生、呉丹先生にもお礼もうしあげます。

日本語センターでの仕事を紹介してくださり、授業指導を引き受けてくださった横須賀薫氏に、とりわけお礼をもうしあげます。氏の批評がなければ、本書の発行はありえませんでした。また、解説までお引き受けくださり感謝申し上げます。わたしは「はじめに」のなかで、日本語教育への不足感をのべていました。ところが、その原因は授業観そのものの違いから来たものであったことを、氏は解説で見事に解かれておられました。このことは日本語教育だけに限らない、授業全般にわたる難題であることも理解できました。重ねてお礼申し上げます。

本書の出版にあたっていろいろな助言をしてくださったボーダーインク社の新城和博氏にもお礼もうしあげます。

最後に、妻・京子に。長い間、単身赴任を許してくれてありがとう。

感激不尽！

横山芳春

横山芳春（よこやまよしはる）

1954 年生まれ。福岡県出身。
Pratt Institute 科学修士、琉球大学工学博士。
那覇市役所勤務 22 年間、沖縄県民間人等出身校長 10 年間
四川外国語大学国際教育学院日本語教師 5 年間。
福建師範大学協和学院日本語教師（現在）
著書
『1000 の子どもに 1000 の可能性　―民間人校長の子どもの可能性を開く授業づくり』（ジアース教育新社、2007）
『体当たり校長の学校づくり　―8 年間のニューズレター』（春風社、2012）など。

日本語を学ぶ中国の若者たち
詩の授業による心の交流の記録

2021 年 7 月 30 日　初版第一刷発行

著　者　横山芳春

発行者　池宮紀子

発行所　㈲ ボーダーインク
沖縄県那覇市与儀 226-3
http://www.borderink.com
tel 098-835-2777　fax 098-835-2840

印刷所　㈱東洋企画印刷

ISBN978-4-89982-408-4　C0037　printed in OKINAWA Japan